McGRAW-HILL SERIES
IN GERMAN LITERATURE

ROBERT M. BROWNING
Consulting Editor, Hamilton College

UMGANG MIT GEDICHTEN
Robert M. Browning
Hamilton College

EICHENDORFF:
AUS DEM LEBEN EINES TAUGENICHTS
Egon Schwarz
Washington University

UMGANG
MIT GEDICHTEN

ROBERT M. BROWNING

Hamilton College

McGRAW-HILL BOOK COMPANY

New York · St. Louis · San Francisco

Toronto · London · Sydney

Rainer Maria Rilke, ARCHAISCHER TORSO APOLLOS. By permission of Insel Verlag. Rainer Maria Rilke, *Sämtliche Werke*, 1. Bd. © Insel Verlag, Frankfurt am Main, 1955.

Paul Celan, TODESFUGE. By permission of Deutsche Verlags-Anstalt. *Mohn und Gedächtnis*. © Deutsche Verlags-Anstalt, Stuttgart, 1952.

Bertolt Brecht, UND WAS BEKAM DES SOLDATEN WEIB. By permission of Suhrkamp Verlag. *Bertolt Brechts Gedichte und Lieder*. © Auswahl Peter Suhrkamp, Bd. 33, Bibliothek Suhrkamp, Suhrkamp Verlag, Berlin und Frankfurt am Main, 1960.

Gunter Eich, KURZ VOR DEM REGEN. By permission of Suhrkamp Verlag. *Botschaften des Regens*. © Suhrkamp Verlag, Frankfurt am Main, 1955.

Hans Magnus Enzensberger, MIDDLE CLASS BLUES. By permission of Suhrkamp Verlag, Hans Magnus Enzensberger, *Blindenschrift*. © Suhrkamp Verlag. Frankfurt am Main, 1964.

Bertolt Brecht, BALLADE VON DES CORTEZ LEUTEN. By permission of Suhrkamp Verlag. Bertolt Brecht, *Gedichte 1918–1929*. © Suhrkamp Verlag, Frankfurt am Main, 1960.

Rainer Maria Rilke, RÖMISCHE FONTÄNE. By permission of Insel Verlag. Rainer Maria Rilke, *Sämtliche Werke*, 1. Bd. © Insel Verlag, Frankfurt am Main, 1955.

Gottfried Benn, UNTERGRUNDBAHN. By permission of Limes Verlag. Gottfried Benn, *Gesammelte Werke in vier Bänden*, 3. Bd. © Limes Verlag, Wiesbaden, 1960.

Wilhelm Lehmann, DIE SIGNATUR. By permission of Sigbert Mohn Verlag. Wilhelm Lehmann, *Sämtliche Werke in drei Bänden*, 3. Bd. © Sigbert Mohn Verlag, Gütersloh, 1962.

Franz Werfel, DER DICKE MANN IM SPIEGEL. By permission of S. Fischer Verlag. Franz Werfel, *Das lyrische Werk*. © S. Fischer Verlag, G.m.b.H., Frankfurt am Main, 1967.

Hans Magnus Enzensberger, BLINDLINGS. By permission of Suhrkamp Verlag. *Landessprache*. © Suhrkamp Verlag, Frankfurt am Main, 1960.

UMGANG MIT GEDICHTEN

Library of Congress Catalog Card Number 68-17178

08490

1 2 3 4 5 6 7 8 9 0 VBVB 7 5 4 3 2 1 0 6 9 8

PREFACE

The texts in the McGraw-Hill Series in German Literature are meant to serve a dual purpose: to introduce the English-speaking student to outstanding examples of German literature of all genres and to place in the hands of both student and instructor an instrument which will enable them to discuss the works presented in a critical fashion in the language in which they are written. Each text, in short, is meant as an introduction to the study of works of German literature, concretely illustrated by critical examination in German of a specific work or works.

Very little background on the part of the student is assumed. But neither is it assumed that the student lacks serious intent and intelligence. Knowledge is one thing, intelligence another. To increase the former by interesting the latter is the pedagogical aim of the Series.

Umgang mit Gedichten is, I hope, just what the title implies: *Hier soll der Anfänger lernen, mit Gedichten umzugehen.* As in the other volumes in the Series, two methods are employed in an effort to achieve this goal: critical analyses and questions. So that the student may retain as free a mind as possible without, at the same time, being deprived of some informed guidance, the analyses themselves are often subjected to critical questioning. Only the naivest critic would assume that his own interpretation of a poem is the only one possible. On the other hand, I have gone on the fundamental assumption that the student should arrive at *some* view, make *some* judgment, and be it only that of the editor. Teachers will hardly need to be expressly invited to bring forward other points of view.

As for the still quite widely, though perhaps now less openly, held opinion that critical examination of a poem is in some way a "sacrilege," the words of Friedrich Schlegel are probably still the best answer:

Wenn manche mystische Kunstliebhaber, welche jede Kritik für Zergliederung, und jede Zergliederung für Zerstörung des Genusses halten, konsequent dächten: so wäre Potz tausend das beste Kunsturtheil über das würdigste Werk. Auch giebts Kritiken, die nichts mehr sagen, nur viel weitläufiger.

This book was written with the fourth or fifth semester German course in mind. At this time, the student is usually invited to examine literature in a more critical fashion. By its nature, the book should, I think, be taken in small doses, perhaps assigned as a supplementary text once or twice a week throughout a semester or even the better part of a year.

Lexical items beyond the "1000 Most Frequent German Words" as listed by Ryder and McCormick in *Lebendige Literatur* (Houghton-Mifflin, 1960) and Browning, *Freude am Lesen* (Appleton-Century-Crofts, 1964) are glossed at the foot of the page, though not necessarily upon each recurrence. It goes without saying that allusions likely to be unfamiliar to the student have been explicated and difficult constructions explained.

It is my pleasant duty to thank for their interest in this book and for their very real help in writing it Professors Lore B. Foltin of the University of Pittsburgh, Otto K. Liedke of Hamilton College, and Victor A. Oswald, Jr. of the University of California, Los Angeles.

Robert M. Browning

CONTENTS

Preface, v

D. *Im Sprechton*

UMGANG
MIT GEDICHTEN

GRUPPE EINS

BALLADEN

1

HEIDENRÖSLEIN

Sah ein Knab' ein Röslein stehn,
Röslein auf der Heiden,
War so jung und morgenschön,
Lief er schnell, es nah zu sehn,
5 Sah's mit vielen Freuden.
Röslein, Röslein, Röslein rot,
Röslein auf der Heiden.

Knabe sprach: Ich breche dich,
Röslein auf der Heiden!
10 Röslein sprach: Ich steche dich,
Daß du ewig denkst an mich,
Und ich will's nicht leiden.
Röslein, Röslein, Röslein rot,
Röslein auf der Heiden.

15 Und der wilde Knabe brach
's Röslein auf der Heiden;
Röslein wehrte sich und stach,
Half ihr doch kein Weh und Ach,
Mußt' es eben leiden.
20 Röslein, Röslein, Röslein rot,
Röslein auf der Heiden.

JOHANN WOLFGANG VON GOETHE

(1749–1832)

Heidenröslein heather rose **Heide** (*f.*) heath, heather (**Heiden** is older dative form) **'s** (V. 16) = **das** **sich wehren** defend oneself **eben** simply

Wahrscheinlich kennen Sie dieses Gedicht schon, aber vielleicht nicht als Gedicht, sondern als Lied, denn in der Vertonung von Franz Schubert ist es eines der bekanntesten deutschen Lieder. Wir wollen es uns ein wenig näher ansehen und versuchen, das, was wir schon ‚kennen', uns bewußter zu machen, d.h. wir wollen versuchen, das Gedicht zu v e r s t e h e n.

Man könnte zwar sagen: Was gibt es daran zu verstehen? Es ist doch alles recht einfach! Es stimmt schon, daß es einfach ist, aber zu verstehen gibt es trotzdem daran eine Menge.

Erstens, sind Sie sicher, daß Sie den Wortlaut wirklich verstehen? Das muß das erste sein. Manches ist hier etwas ‚komisch'. Wir haben z.B. gelernt, daß man im Deutschen nicht sagt: „Sah ein Knab' ", sondern „Es sah ein Knab(e)". Außerdem, darf man das Pronomen nicht weglassen, wie Goethe es hier tut: „War so jung" anstatt „Es [das Röslein] war so jung". Und der Dichter sagt auch: „Lief er schnell, es nah zu sehn", anstatt: „So daß er schnell (hinzu-) lief, (um) es nah zu seh(e)n".

Und so geht es weiter durch alle drei Strophen. Der Dichter scheint vieles ausgelassen zu haben. Warum wohl? Das muß noch untersucht werden. Zuerst aber sollen Sie das Gedicht noch einmal lesen und feststellen, was hier sonst ‚ausgelassen' worden ist, d.h. Sie sollen feststellen, wo der Dichter von der ‚normalen' Grammatik oder Wortfolge abweicht. Außer den angeführten Stellen, sollten Sie noch sieben weitere finden können. Notieren Sie sie sich hier:

Vers 5:
Vers 8:
Vers 10:
Vers 11:
Vers 17:
Vers 18:
Vers 19:

Nun müssen wir uns fragen: W a r u m hat sich der Dichter hier in etwas ‚abnormaler' Weise ausgedrückt? Denn diese Abweichungen von der Norm sind absichtlich, und stammen nicht etwa daher, daß

Vertonung (*f.*) musical setting   **bewußt** conscious   **Wortlaut** (*m.*) wording
etwa = z.B.   **Strophe** (*f.*) stanza   **feststellen** determine
Wortfolge (*f.*) word order   **abweichen** deviate   **absichtlich** intentional
daherstammen stem from

damals, als Goethe diese Verse schrieb (Ende des 18. Jahrhunderts), die deutsche Grammatik anders war als heute. Im Gegenteil, sie war fast dieselbe wie heute.

Ehe wir aber fortfahren, wollen wir uns an einen Grundsatz aller literarischen Interpretation erinnern: In einem Gedicht – oder in der Dichtung überhaupt – hat a l l e s etwas zu bedeuten: Grammatik und Syntax, Reim, Metrum, Rhythmus, Strophenbau, Wortwahl, alles, und nicht nur die zugrundeliegende ‚Idee' oder ‚Bedeutung'. In einer Dichtung kommt es ebensosehr auf das W i e, d.h. auf die Form an wie auf das W a s, d.h. den Gehalt. Das Was geht in das Wie auf. Eins bedingt das andere, ja, eins i s t das andere. Mit anderen Worten, eine Dichtung hat man als ein System von Beziehungen zu betrachten. Nur so können wir sie wirklich ‚verstehen'.

Es ließe sich wohl manches anführen, um Goethes Sprachgebrauch und ‚abnormale' Grammatik in diesem Gedicht zu erklären. Nehmen wir einmal an, der Dichter hätte nicht so viel ‚ausgelassen' und die erste Strophe sähe so aus:

> ES sah ein Knab' ein Röslein stehn,
> EIN Röslein auf der Heiden,
> ES war so jung und morgenschön,
> SO lief er schnell, es nah zu sehn,
> ER sah's mit vielen Freuden.
> EIN Röslein   usw.

Ist die ‚Bedeutung' jetzt dieselbe? Ja und nein. Ohne Zweifel g e- s c h i e h t dasselbe, trotzdem aber ist alles irgendwie ein wenig anders. Gegenüber Goethes Fassung erscheint die unsere zu wortreich und fast banal, und doch haben wir nur am Anfang jedes Verses eine Senkung hinzugefügt, während bei Goethe jeder Vers mit einer Hebung anfängt. Durch die hinzugefügten Wörter, so grammatikalisch richtig sie auch sind, scheint die Strophe an Unmittelbarkeit verloren zu

---

fortfahren continue **Dichtung** (*f.*) creative writing **Strophenbau** (*m.*) strophic structure **Wortwahl** (*f.*) choice of words **Gehalt** (*m.*) idea content (**Inhalt** contents) **bedingen** condition **Beziehung** (*f.*) relation, connection
ließe sich anführen could be adduced
Sprachgebrauch (*m.*) linguistic usage **annehmen** assume
gegenüber in comparison with **Fassung** = Version **Senkung** unaccented syllable **Hebung** accented syllable **Unmittelbarkeit** (*f.*) immediacy

haben. Besonders wirkt das *so* in V. 4 störend und prosaisch, weil es eine ausdrückliche Begründung für etwas gibt, das keine so ausdrückliche Begründung braucht.

Auch gibt das *ein* vor *Röslein* einen anderen Sinn und erregt ein anderes Gefühl. Ohne das *ein* wird das Röslein fast zu einer Person, zu einem Mädchen namens „Röslein", wie man z.B. in V. 10 ganz klar sieht: „Röslein sprach . . .". Mit dem Wort *Knabe* verhält es sich ähnlich: „Knabe sprach . . ." (nicht *der* Knabe). Wir können also schon sagen, daß das Röslein hier mehr als nur eine Blume ist, obwohl es auch das ist. Das Röslein hat symbolische Bedeutung. Wenn wir es mit dem Knaben zusammennehmen, so stellt es den weiblichen Pol dar, und der Knabe den männlichen. Dieses Verhältnis wird hervorgehoben durch das, was der Dichter ‚ausgelassen' hat.

Lesen wir das Gedicht noch einmal, indem wir diesmal besonders auf die H a n d l u n g achten. Goethe hat „Heidenröslein" unter seine Balladen eingereiht, und Balladen sind immer Gedichte mit einem Handlungsablauf. Indem wir uns aber die Handlung vergegenwärtigen, wollen wir auch zugleich auf den R e i m achten, denn was sich reimt, muß – wenn der Reim wirklich bedeutungsvoll sein soll – auch irgendwie zusammengehören. Der Reim muß etwas sagen. Wir wollen also sehen, ob der Reim nicht auch etwas über den Sachverhalt aussagt.

Die Schlüsselworte in der ersten Strophe sind *stehn* und *sehn*. Eins bezeichnet die ‚Handlung' der Rose, das andere die des Knaben. Es sind Worte, die durch den Reim aufeinander bezogen sind. Die Rose ist bewegungslos, pflanzenhaft, wie es sich für eine Rose gehört; sie ist gleichsam ganz in ihrem Rose-sein: sie s t e h t. Das andere Verbum, das in Zusammenhang mit der Rose gebraucht wird, ist *sein:* „*War* so jung und morgenschön". Das Sein der Rose ist also ein ruhiges, stillestehendes Schön-sein.

Der Knabe dagegen ist der aktive Teil. Er reagiert auf das schöne Da-sein der Rose zuerst, indem er sie ansieht und dann gleich durch

---

ausdrücklich explicit **Begründung** reason **erregen** arouse
sich verhalten (ie a ä) be in relation **ähnlich** similar
weiblich feminine **hervorheben (o o)** stress **Handlung** action **einreihen** classify **Handlungsablauf** (*m.*) course of action **vergegenwärten** picture, bring clearly to mind **Sachverhalt** (*m.*) state of affairs **Schlüsselwort** key word **bezeichnen** designate **bezogen** related **sich gehören** be suitable **gleichsam** as it were **reagieren** react

sein Hinzulaufen, um sie „nah zu sehn". Dreimal kommt das Verbum *sehen* vor. Das zweite dem Knaben zugehörige Verbum ist *laufen*. Offenbar also h a n d e l t der Knabe, während die Rose nur i s t. Aber ihr bloßes Sein ist auch genug, um ihr Schicksal zu besiegeln, weil es genug ist, um das lebhafte Interesse und die „vielen Freuden" des Knaben zu erregen.

esse est percipi sagen die Philosophen. Wir können demnach also sagen, daß erst in dem Augenblick, wo sie von dem Knaben gesehen wird, das wahre Sein der Rose anfängt. Es zeigt sich also, daß der Reim *stehn-sehn* in der Tat sehr bedeutungsvoll ist, besonders wenn man beachtet, daß es sich eigentlich um einen Dreireim handelt, dessen drittes Element das Wort *schön* ist, das Schön-sein der Rose nämlich (*stehn-schön-sehn*).

Daß Schön-sein auch schicksalhaft sein kann, zeigen die nächsten zwei Strophen unseres Gedichtes. Da sie jetzt gesehen worden ist (*percepta est*), ist die Rose zum Leben erwacht und muß nun nach dem Gesetz ihres Seins handeln. Selbstverständlich handelt der männliche Teil, von der Schönheit der Rose angezogen, zuerst, während die Handlung der Rose selbst nur Abwehr ist, aber auch das ist kein bloßes Stillestehen mehr. Wenn wir auf den Reim und den Wortlaut achten, so hat der Kampf, der sich jetzt zwischen dem Knaben und der Rose abspielt, fast einen Anflug des Komischen. Der Knabe greift an und die Rose wehrt sich, aber in dem, was beide sagen, besteht nur ein ganz kleiner Unterschied: „. . . sprach: Ich breche dich"; „. . . sprach: Ich steche dich". Im Kampf sind beide Teile fast identisch, was noch durch das dritte Reimwort *mich* unterstrichen wird: *mich* und *dich* gehören zusammen, und sie sind zusammengekommen wie seit eh und je durch den Kampf der Geschlechter.

In der dritten Strophe geschieht dann das Unvermeidliche: der Knabe bricht die Rose. Einfach aber genial ist der Gebrauch in dem Reim von denselben Wörtern (*brechen-stechen*), um die Niederlage

---

zugehörig belonging to   **offenbar** evident   **handeln** act   **besiegeln** seal
erregen arouse   *esse est percipi* (*Lat.*) "to be is to be perceived"   **demnach**
accordingly   **Dreireim** (*m.*) triple rhyme   **es handelt sich um** it is a question of
angezogen attracted   **Abwehr** (*f.*) defense   **abspielen** take place   **Anflug** (*m.*)
touch   **angreifen** attack   **bestehen** exist   **unterstrichen** underscored
eh u. je = immer   **Geschlecht** (*n.*) sex   **unvermeidlich** inevitable   **genial** touch
of genius   **Niederlage** (*f.*) defeat

der Rose darzustellen, die in der zweiten Strophe gebraucht wurden, um ihre Abwehr zu schildern; nur kommen sie diesmal in der Vergangenheit vor, statt im Präsens. Das, was geschehen mußte, ist nun geschehen – es war nur die Folge von dem stillen Schön-sein der Rose und von ihrem Gesehen-werden.

Die zweite Strophe hat uns aber gezeigt, daß Rose und Knabe (*dich* und *mich*) zusammengehören, also ist das Schicksal des weiblichen Teils nicht gerade tragisch, es sei denn, daß auch das Natürlichste tragisch ist. Und vielleicht i s t es tragisch. Wieder scheint das dritte Reimwort (*Ach*) bedeutsam, obwohl es nicht leicht ist, seine Bedeutung diskursiv auszudrücken. Kann man vielleicht sagen, daß dieses „Ach" gleichsam die Summe zieht vom ganzen Gedicht, vom Schön-sein und nur Stille-sein-wollen, vom Gesehen-werden und Leben-müssen, vom Sich-wehren und dennoch Gebrochen-werden? Mit anderen Worten, kann man sagen, daß es das weibliche Schicksal ausdrückt: „Mußt' es eben leiden"? Goethe gestaltet hier einen ewigen Vorgang im menschlichen Leben; das Gedicht ist sozusagen ein Paradigma für das Verhältnis zwischen den Geschlechtern. Einfach? Ja und nein.

Fragen zum Nachdenken

Wir haben zwar auf einiges in unserem Gedicht aufmerksam gemacht, aber es bleibt doch genug übrig, was weder beachtet noch besprochen worden ist. Durch die folgenden Fragen haben Sie jetzt selber Gelegenheit, sich im Interpretieren zu versuchen. Eines dürfen Sie aber dabei nicht vergessen: Ihre Interpretation muß sich aus dem Gedicht selbst herleiten lassen, nicht bloß aus Ihrem eigenen Kopf!

1. Der erste Vers der letzten Strophe fängt mit einem *und* an. Hat das eine Bedeutung? Der Dichter hätte auch (und vielleicht mit besserer Logik!) *doch, dann* oder *so* sagen können. Warum wohl *und?*

2. In unserer Besprechung haben wir auf die Bedeutung des einen Dreireims hingewiesen (*stehn-schön-sehn / breche dich-steche dich-mich / brach-stach-Ach*), aber wir haben nichts über den anderen

---

schildern depict   Folge = Resultat (*n.*)   es sei denn unless
diskursiv discursively, "in prose"   die Summe ziehen sum up   gestalten give
form to   Vorgang (*m.*) process; event   Pardigma (*n.*) paradigm, model

Dreireim gesagt, der auch hier vorkommt: *Heiden-Freuden-Heiden*[1] /
Heiden-leiden-Heiden. Was können Sie hierüber sagen? Was können
Sie über den Gebrauch des Reimes im diesem Gedicht überhaupt
sagen? [Bemerken Sie, daß *will's nicht* vor dem ersten *leiden* (V.
12) steht und *mußt' es eben* vor dem zweiten (V. 19).]

3. Ein Kehrreim kommt in vielen Volksliedern vor. Obwohl Goethes
   „Heidenröslein" kein eigentliches Volkslied ist, klingt es doch
   volksliedhaft. Welche Rolle spielt hier der Kehrreim? Ist der Ge-
   fühlston derselbe bei jeder Wiederkehr des Kehrreims? Erklären
   Sie! Wie ist das bei anderen Volksliedern, die Sie kennen?

4. Die Entstehungsgeschichte von diesem Gedicht ist ziemlich kompli-
   ziert und immer noch umstritten. Es ist nicht ganz ausgeschlossen,
   daß es eine Umdichtung von einem Volkslied darstellt. Mindestens
   wissen wir, daß Goethe wahrscheinlich ein altes Volkslied mit dem
   Refrain „Röslein auf der Heiden" gekannt hat. Die Handlung
   dieses Liedes ist aber ganz anders als bei Goethe. Als Goethe 1770–
   1771 Student in Straßburg war, hat er sich für Volkslieder interessiert
   und sie sogar gesammelt. Sein Interesse dafür war durch seinen
   älteren Freund und Mentor, den Kritiker und Theologen Johann
   Gottfried Herder, erregt worden. Seinem Freund Herder scheint
   nun der junge Goethe die folgende Fassung von „Heidenröslein"
   vorgesagt zu haben. In einem Aufsatz vom Jahre 1773 (*Briefwechsel
   über Ossian und die Lieder alter Völker*) läßt Herder unser Gedicht
   so drucken:

> Es sah ein Knab' ein Röslein stehn,
> Ein Röslein auf der Heiden.
> Er sah, es war so frisch und schön,
> Und blieb steh'n, es anzusehen
> *Und stand in süßen Freuden.*[2]
> Röslein, Röslein, Röslein rot,
> Röslein auf der Heiden!

[1] Goethe hat die Laute [ai] und [oi] beide als [ai] ausgesprochen!

[2] Herder sagt ausdrücklich, daß er diesen Vers „nur aus dem Gedächtnis sup-
pliere."

Kehrreim (*m.*) refrain **Entstehungsgeschichte** genesis **umstritten** in dispute
Aufsatz (*m.*) essay **drucken** print

Der Knabe sprach: Ich breche dich!
Röslein usw.
Das Röslein sprach: Ich steche dich,
Daß du ewig denkst an mich,
Und ich will's nicht leiden!
Röslein usw.

Jedoch der wilde Knabe brach
Das Röslein usw.
Das Röslein wehrte sich und stach,
Aber er vergaß darnach
Beim Genuß das Leiden!
Röslein usw.

Vergleichen Sie nun diese Fassung des Gedichts hinsichtlich des Wortlauts, der Idee usw. mit der Fassung, die wir studiert haben! Achten Sie besonders auf die letzte Strophe![1]

5. In dem *Briefwechsel über Ossian* meint Herder, „Röslein auf der Heiden" sei „nichts als ein kindliches Fabelliedchen" und fragt: „Ist das nicht Kinderton?" Was meinen S i e?

---

[1] Unsere Fassung, d.h. die Fassung, die wir zuerst gelesen haben, erschien im Druck erst 1789, also rund 18 Jahre nach der Entstehung der Urfassung, wenn es wirklich stimmt, daß die von Herder abgedruckte Fassung die Urfassung ist.

---

hinsichtlich in regard to **Druck** print **Urfassung** original version

2

ERLKÖNIG

Wer reitet so spät durch Nacht und Wind?
Es ist der Vater mit seinem Kind;
Er hat den Knaben wohl in dem Arm,
Er faßt ihn sicher, er hält ihn warm. –

5 Mein Sohn, was birgst du so bang dein Gesicht? –
Siehst, Vater, du den Erlkönig nicht?
Den Erlenkönig mit Kron' und Schweif? –
Mein Sohn, es ist ein Nebelstreif. –

„Du liebes Kind, komm, geh mit mir!
10 Gar schöne Spiele spiel' ich mit dir;
Manch' bunte Blumen sind an dem Strand;
Meine Mutter hat manch' gülden Gewand."

Mein Vater, mein Vater, und hörest du nicht,
Was Erlenkönig mir leise verspricht? –
15 Sei ruhig, bleibe ruhig, mein Kind!
In dürren Blättern säuselt der Wind. –

„Willst, feiner Knabe, du mit mir gehn?
Meine Töchter sollen dich warten schön;
Meine Töchter führen den nächtlichen Reihn
20 Und wiegen und tanzen und singen dich ein."

Erlkönig = König der Elfen (*dän.* ‚*ellerkonge*') **was = warum**
birgst = verbirgst bang = ängstlich Schweif (*m.*) train (of garment)
Nebelstreif (*m.*) streak of mist **gar = recht an dem Strand dem** *may be*
demonstrative "on that strand I know about" **Gewand** (*n.*) garment
dürr dry, withered **säuseln** rustle **warten = bedienen Reihn** (*m.*) join-hands
dance **wiegen** rock **ein** (V. 20) "to sleep"

Mein Vater, mein Vater, und siehst du nicht dort
Erlkönigs Töchter am düstern Ort? –
Mein Sohn, mein Sohn, ich seh' es genau;
Es scheinen die alten Weiden so grau. –

25 „Ich liebe dich, mich reizt deine schöne Gestalt;
Und bist du nicht willig, so brauch' ich Gewalt." –
Mein Vater, mein Vater, jetzt faßt er mich an!
Erlkönig hat mir ein Leids getan! –

Dem Vater grauset's, er reitet geschwind,
30 Er hält in Armen das ächzende Kind,
Erreicht den Hof mit Mühe und Not;
In seinen Armen das Kind war tot.

JOHANN WOLFGANG VON GOETHE

(1749–1832)

Wieder eine Ballade von Goethe. In diesem Fall ist man sicher, daß
der Dichter von einer Volksdichtung angeregt wurde. In seinen *Volksliedern* vom Jahre 1779 hatte Herder eine Übertragung von einer
dänischen Volksballade „Erlkönigs Tochter" veröffentlicht, und von
dieser Ballade ging Goethe aus. Doch ist die Handlung der dänischen
Ballade ganz anders als bei Goethe. (Dort lädt eine Elfenprinzessin
den Ritter Oluf am Abend vor seiner Hochzeit zum Tanz ein; als der
Ritter sich weigert mit ihr zu tanzen, versetzt sie ihm „einen Schlag
auf das Herz", woran er bald stirbt.)

---

düster gloomy **Weide** (*f.*) willow **reizen** tempt **Leids** (*n.*) injury
grauset's is horrified **geschwind** = **sehr schnell** **ächzen** groan
anregen stimulate **Übertragung** = **Übersetzung** **einladen (u a ä /a)** invite
Ritter (*m.*) knight **Hochzeit** (*f.*) wedding **sich weigern** refuse
versetzt = **gibt**

11

Den Inhalt unseres Gedichts können wir wie folgt auf die einzelnen Strophen verteilen:[1]

1. Erzählerstrophe (der Dichter spricht)
2. Dialog (Vater und Kind)
3. Rede des Erlkönigs
4. Dialog (Vater und Kind)
5. Rede des Erlkönigs
6. Dialog (Vater und Kind)
7. Rede des Erlkönigs — Ausruf des Kindes
8. Erzählerstrophe

Wir hören vier Stimmen: zwei, die des Vaters und seines Kindes, gehören der menschlichen Welt an; eine, die des Erlkönigs, gehört der außermenschlichen Welt an, und eine, die des Erzählers, ist unparteiisch: sie gehört der Welt der Kunst an. In Strophen 2–7 wird die außermenschliche Stimme mit den menschlichen Stimmen verwoben. Diese Stimmen sind dann von einer vierten, berichtenden Stimme (Strophen 1 und 8) umrahmt, der Stimme des Erzählers.

Die Stimme des Vaters wird jedesmal von der des Erlkönigs abgelöst und unwirksam gemacht. Es findet eine deutliche Steigerung statt:

Strophe 2: Der Vater hat die führende Stimme, er spricht zuerst und zuletzt. Wie sein Arm den Knaben sicher und warm hält, so wollen auch seine Worte das furchtsame Kind beruhigend umfassen.

Strophen 4 u. 6: Der Vater spricht zuletzt; seine Worte umgeben den Knaben nicht mehr, sondern dieser wird auf der einen Seite von dem Erlkönig gefaßt und auf der anderen von dem Vater.

Strophe 7: Die Stimme des Vaters ist ganz aus dem Gedicht verschwunden. Das letzte ,menschliche' Wort bleibt der angsterfüllte Ausruf des Kindes.

---

[1] Die folgende Analyse ist dem Aufsatz von Erich Hock, „Der künstlerische Aufbau von Goethes ,Erlkönig' ", *Zeitschrift für Deutschkunde*, 51. Jhg. (1937), 195 ff., mehrfach verpflichtet.

---

unparteiisch impartial   **verweben (o o)** interweave   **umrahmt** framed
ablösen replace   **unwirksam** ineffectual   **Steigerung** increase in intensity

Der Dialog zwischen Vater und Sohn wird jedesmal durch den Erlkönig ausgelöst. Auch hier ist eine deutliche Steigerung zu bemerken:

Das erste Mal hat der Knabe den Erlkönig nur g e s e h e n (Strophe 2); dieser hat ihn noch nicht angesprochen. Der Anblick muß furchterregend gewesen sein, denn der Knabe wendet sein Gesicht weg. Hierauf erfolgt dann das Gespräch, das mit der ,vernünftigen' Erklärung des Vaters endet: „Mein Sohn, es ist ein Nebelstreif."

Nun aber geschieht etwas, was das Wort des Vaters Lügen straft: der Knabe h ö r t den Erlkönig, der ihn direkt anredet. Dies löst den zweiten Dialog aus, der wieder mit einer vernünftigen Erklärung endet. Jetzt aber, wie wir schon gesehen haben, ,umfassen' des Vaters Worte den Sohn nicht mehr.

Die fünfte Strophe bringt wieder eine neue Steigerung der Gewalt des außermenschlichen Wesens, den Vater wieder Lügen strafend: was der Knabe h ö r t, das s i e h t er auch sogleich, wie aus VV. 21f. zu ersehen ist. Das menschliche Gespräch (Strophe 6) verläuft wie vorher, doch bleibt die beruhigende Antwort des Vaters unwirksamer als je, denn jetzt berührt der Erlkönig einen dritten Sinn des Knaben, nämlich das G e f ü h l: er faßt ihn hart an. Noch einmal wendet sich der Sohn mit einem Aufschrei an den Vater, aber die Antwort bleibt aus. Ein Außermenschliches ist in die Menschenwelt eingebrochen, das ,keine Vernunft annehmen' will. In wortlosem Grauen reitet der Vater mit dem gebrochenen Kind geschwind nach Haus.

Eine ähnliche Steigerung ist natürlich auch in den W o r t e n der handelnden Person zu sehen. Achten wir auf die Reden des Erlkönigs:

Zuerst ist der Erlkönig stumm, der Vater hat das erste Wort. (Am Schluß haben sie die Rollen getauscht: der Erlkönig hat das letzte Wort und der Vater ist verstummt.) Als der Erlkönig

---

auslösen release   **vernünftig** reasonable, sensible   **Lügen strafen** make a liar of **verlaufen** take its course   **berühren** touch   **Vernunft annehmen** listen to reason **Grauen** (n.) horror   **stumm** mute   **tauschen** exchange

aber zu sprechen beginnt, nehmen bei jeder Rede seine Worte an Kraft zu. Zunächst hören wir eine schmeichelnde Aufforderung:

> *Du liebes Kind, komm, geh mit mir!*

dann eine lockende Frage:

> *Willst, feiner Knabe, du mit mir gehn?*

endlich eine rohe direkte Aussage und eine Drohung:

> *Ich liebe dich, mich reizt deine schöne Gestalt;*
> *Und bist du nicht willig, so brauch' ich Gewalt!*

Der Ton dieser Reden ist anfangs gefällig, singend, dann bewegt, zögernd, schließlich aber zerrissen, hart. Am Schluß spricht der Erlkönig nicht mehr von Mutter und Töchtern, nicht mehr von Spiel und Tanz, von goldenen Gewändern und Gesang: er spricht nur von sich selbst und seinen Begierden. Auf etwaige Wünsche des Kindes geht er nicht mehr ein. Der schmeichelhafte Vokativ („Du liebes Kind" /„feiner Knabe") ist aus seiner Rede verschwunden; der Knabe ist zum bloßen Objekt seiner Begierde geworden: „mich reizt *deine schöne Gestalt* . . ."

Es gibt viele rhythmische Feinheiten in dem Gedicht; wir haben eben auf ein paar davon hingewiesen, indem wir den Ton der Reden des Erlkönigs zu kennzeichnen versuchten, denn der Ton ist nicht bloß von dem abhängig, w a s gesagt wird, sondern auch von dem W i e der Aussage und das Wie wiederum vom Rhythmus.

Der Rhythmus ist das dynamische Element im Vers. Er ist nicht mit dem Metrum identisch – das Metrum gibt nur den Takt an –, aber er steht doch in einem gewissen, oft schwer definierbaren Verhältnis zu ihm. Manchmal erzielt der Dichter seine Wirkungen durch einen Kontrast zwischen Metrum und Rhythmus, z.B. durch ‚Synkopisierung' oder widermetrische Betonung.[1]

---

[1] Diese Begriffe werden später durch Beispiele erläutert werden!

---

schmeicheln flatter **Aufforderung** invitation **locken** tempt **roh** rough, coarse **Drohung** threat **zögernd** hesitant **Begierde** (*f.*) desire
etwaig = möglich **hinweisen** (ie ie) **auf** = ziegen auf **kennzeichnen** characterize **abhängig** dependent **Takt** (*m.*) beat, measure **erzielen** = das Ziel **erreichen** **widermetrisch** countermetrical **Betonung** stress

Rhythmische Qualitäten schematisch wiederzugeben ist fast unmöglich. Zum großen Teil sind sie vom individuellen Sprecher abhängig, was aber beim Metrum nicht der Fall ist. So wäre es z.b. möglich, dem Vers „Wer reitet so spät durch Nacht und Wind?" verschiedene Rhythmen zu geben, aber das Metrum wird immer dasselbe bleiben. Daher wird jeder, der deutsche Verse überhaupt lesen kann, die Silben *rei- spät Nacht Wind* stärker als die anderen betonen.

Obwohl es möglich ist, Versen verschiedene Rhythmen zu geben, herrscht meistens ziemliche Übereinstimmung über den ‚richtigen' Rhythmus eines Verses. Woher kommt das? Der Dichter hat uns in seiner Macht. Wenn wir uns von unserem Gefühl und dem Sinn der Worte leiten lassen, treffen wir fast immer einen annehmbaren Rhythmus. Es ist wie beim Tanzen: entweder kann man es oder man kann es nicht, die meisten aber können es.

So wird wohl fast jeder der Behauptung beipflichten, daß der Rhythmus der ersten Strophe vom „Erlkönig" ausgeglichen ist. Er hat auch etwas Vorwärtsstrebendes und zugleich Wiegendes. Aber trotz seiner Ausgeglichenheit wirkt dieser Rhythmus keineswegs eintönig. Dies liegt zum Teil daran, daß die Senkungen unregelmäßig gesetzt sind. Ein Vers ist ein System von Spannungen und Lösungen; von den Hebungen stammen die Spannungen her, von den Senkungen die Lösungen. Hier folgen Hebung und Senkung nicht ganz regelmäßig aufeinander:

$$\cup \; \_\cup \; \cup \quad \_ \quad \cup \quad \_ \quad \cup \quad \_$$
Wer reitet so spät | durch Nacht und Wind?
$$\cup \; \_ \quad \cup \; \_\cup \quad \cup \; \_ \; \cup \quad \_$$
Es ist der Vater | mit seinem Kind . . .[1]

In der Mitte jedes Verses der ersten Strophe findet man eine leichte Pause, ‚Zäsur' genannt. Von dieser Zäsur her stammt das Wiegende in dem Vers. Sonst hat man keine Neigung, längere Pausen einzulegen, als die Interpunktion schon angibt, noch einzelne Wörter mehr hervorzuheben als sie schon durch das Metrum hervorgehoben werden. Mit

---

[1] Es wäre möglich, die Akzente genauer zu bezeichnen: so ist z.B. *ist* viel leichter betont als *Va-* (V. 2).

---

herrschen prevail **Übereinstimmung** agreement **leiten** guide
annehmbar acceptable **beipflichten** agree (to) **ausgeglichen** smooth, even
wiegen rock **eintönig** monotonous **es liegt daran** the reason is
Spannung tension **Lösung** release **Interpunktion** punctuation
hervorheben stress

anderen Worten, Metrum und rhythmischer Akzent decken sich in diesen Versen.[1] Wir gehen bestimmt nicht zu weit, wenn wir sagen – den S i n n der Worte natürlich auch in Betracht ziehend – daß dieses rhythmische Motiv das Reiten kennzeichnet. Es ist der Ritt selbst, das Galoppieren des Pferdes. Dasselbe rhythmische Motiv kommt auch in den Reden der handelnden Personen vereinzelt vor (z.B. in VV. 7, 10, 16, 24), so daß das Gefühl des Reitens uns nie ganz aus dem Sinn kommt.

Interessant ist es nun zu sehen, was in der Schlußstrophe mit diesem Rhythmus geschieht. Da diese Strophe, als die zweite ‚Erzählerstrophe', der ersten Strophe entspricht, könnte man erwarten, der Rhythmus würde der gleiche sein. Und in den zwei ersten Versen ist dies wirklich der Fall – hier findet man wieder den wiegenden, vorwärtsstrebenden Rhythmus des Reitens:

Dem Vater grauset's | er reitet geschwind,
Er hält in Armen | das ächzende Kind . . .

Aber in den zwei letzten Versen (wo der eigentliche Ritt vorüber ist) ändert sich der Rhythmus entschieden. Vers 31 läßt sich nicht wie die unmittelbar vorhergehenden Verse lesen – man muß ihn viel langsamer und ‚mühsamer' sprechen, am langsamsten gerade das Wort *Mühe*. Man muß es, nicht weil es so ‚richtig' ist, sondern weil man nicht anders kann. Der Dichter hat uns in seiner Macht.

Es ist nicht ganz leicht zu sagen, woran dies liegt. Zum Teil wahrscheinlich daran, daß V. 31 eine Senkung weniger hat als VV. 29 und 30, so daß die Hebungen näher beisammen sind, was den Vers ‚gewichtiger' macht:

Erreicht den Hof [|] mit Mühe und Not . . .

Die Zäsur nach *Hof* ist sehr leicht, was dazu beiträgt, dem Vers das Wiegende zu nehmen. Noch ein Drittes liegt wahrscheinlich an der

---

[1] In einem solchen Fall spricht man manchmal von „metrischem Rhythmus".

---

sich decken coincide   **in Betracht ziehen** take into consideration
vereinzelt sporadically   **entsprechen** (a o i) correspond to
entschieden definite   **unmittelbar** immediate   **gewichtig** weighty
beitragen (u a ä) contribute

16

Betonung von *erreicht*, das anders ausgesprochen werden muß als *er reicht* – die Sprachwissenschaftler sprechen in einem solchen Fall von ‚juncture‘. Die Senkung auf *er-* ist so leicht, daß man fast das Gefühl hat, daß die Zeile mit einer Hebung beginnt. Auch dies trägt dazu bei, dem Vers mehr ‚Gewicht‘ zu geben. Man sieht, die Sache ist keineswegs leicht zu erklären!

Vers 32 ist wieder anders. Hier wird der besondere Effekt syntaktisch erreicht, wie man gleich sieht, wenn man sagt: „*Das Kind* in seinen Armen war tot" anstatt: ‚In seinen Armen *das Kind* war tot." Wie der Vers geschrieben steht, muß man ihn zugleich rückwärts u n d vorwärts lesen: „In seinen Armen das Kind" (= „Das Kind in seinen Armen") und „[das Kind] war tot." Eine Pause ließe sich sowohl vor *das Kind* als dahinter setzen. Durch diesen Kunstgriff kommt das Grauen des Vaters vor seiner furchtbaren Entdeckung höchst anschaulich zum Ausdruck: er will es nicht glauben, aber er muß es.

Wir müssen es nun bei diesen wenigen Beispielen von rhythmischen Feinheiten belassen, um uns kurz dem R e i m zuzuwenden.

Die Reime im „Erlkönig" scheinen nicht so ‚sprechend‘ zu sein wie die im „Heidenröslein", doch gibt es wenigstens einen, der besondere Aufmerksamkeit verdient. Dies ist der Reim *Wind-Kind*, der dreimal vorkommt (das letzte Mal als gesch*wind-Kind*). Er findet sich am Anfang (VV. 1 und 2), am Ende (VV. 29 und 30) und in der Mitte des Gedichts (VV. 15 und 16). Jeder *Wind-Kind*-Reim ist durch genau sechs Reimpaare (d.h. 12 Zeilen) von dem nächsten getrennt. Dieser Reim bildet eine Art von Leitmotiv, welches das Schicksal des Kindes begleitet. Am Anfang kommt das Motiv mit dem tröstlichen Reimpaar *Arm-warm* gepaart vor, in der Mitte mit dem ängstlichen *nicht-ver-spricht*, am Ende mit dem hoffnungslosen *Not-tot*.

Fragen zum Nachdenken

1. Wir haben einen Blick auf den Aufbau des Gedichts geworfen, aber nur nebenbei von dessen G e h a l t gesprochen. Unsere erste Frage lautet also: W a s wird hier gestaltet? Was ist das T h e m a des Gedichts?

Sprachwissenschaftler (*m.*) linguist   **Kunstgriff** (*m.*) artistic trick
anschaulich = so daß man es sehen kann   **paaren** pair   **Aufbau** (*m*). structure
gestalten (give) form (to)

N o t a b e n e. Diese Frage können Sie nicht beantworten, indem Sie den I n h a l t, d.h. die ‚Geschichte', einfach nacherzählen. Die Geschichte hat der Dichter schon erzählt. Sie müssen das Gedicht wieder lesen – vielleicht mehreremals – und dann versuchen, dessen fundamentale Aussage zu formulieren.

2. Eine interessante Frage, die eng mit der ersten zusammenhängt, ist die bezüglich der ‚Wirklichkeit' des Erlkönigs. Tritt der Erlkönig w i r k l i c h auf oder existiert er nur in der Phantasie des Knaben? Was i s t der Erlkönig? Oder: Was stellt der Erlkönig innerhalb des Rahmens des Gedichts dar? (Beachten Sie den Gegensatz zwischen Vater und Kind bei der Beantwortung dieser Frage!)

3. Unten führen wir einige Stellen aus verschiedenen Kritikern an, die sich mit diesem Gedicht befassen. Diese Stellen zeigen, wie verschieden die vorhergehende Frage beantwortet worden ist. Welche Meinung kommt Ihrer eigenen am nächsten?

(*a*) „Goethe benutzte die Vorstellung von der Gewalt, welche Erlkönig und dessen Tochter [in der alten dänischen Ballade] über den, der in ihr Reich tritt, besitzen, um die ungeheuere Macht des von der Einbildung geschaffenen . . . Wahns darzustellen, wovon die Hexengeschichte ein grausiges Beispiel liefert." (*Goethes lyrische Gedichte*, erl. v. Heinrich Dünzter, 2. Bd., 2. Aufl., Leipzig 1876, 313.)

(*b*) „Wir wissen es genau: Es ist in Wirklichkeit gar kein Erlkönig vorhanden, sondern nur ein im Abend hängender Nebelstreif. Die Stimmen, die das Kind zu vernehmen glaubt, sind nur die dürren Blätter, die im Wind rauschen. Es sind nicht Erlkönigs Töchter . . ., sondern nur die alten Weiden . . . Wir sind uns völlig im klaren darüber, daß es nur die abendliche Natur ist, die von der fiebernden Phantasie in die Elfenwelt verwandelt wird . . . Jedoch der poetische Effekt ist durchaus umgekehrt: nicht die Desillusionierung, sondern die v o l l k o m m e n e I l l u s i o n." (H. A. Korff, *Goethe im Bildwandel seiner Lyrik*, 1. Bd., Hanau /M., 1958, 251*f*.)

---

bezüglich in regard to   **Rahmen** (*m*.) frame(work)   **sich befassen mit** = handeln um   **ungeheuer** tremendous   **Einbildung** imagination   **Wahn** (*m*.) illusion **Hexengeschichte** history of witchcraft   **liefern** supply, afford **umgekehrt** opposite

(*c*) „. . . das Geschehen geht nicht von [den menschlichen Gestalten in der Ballade] aus, sondern sie [= die Menschen] werden von anderen Mächten erfaßt. Das ist nun das Entscheidende: diese Mächte sind Naturmächte, die sich . . . zu Gestalten verdichtet haben." (Wolfgang Kayser, *Geschichte der deutschen Ballade*, Berlin, 1936, 117.)

Zusätzliche Übung

Unten bringen wir eine Übersetzung vom „Erlkönig" von Sir Walter Scott. Schreiben Sie eine Kritik darüber. In Ihrer Kritik sollen Sie darauf hinweisen, wo es, Ihrer Meinung nach, Scott gut gelungen ist, Goethes Gedicht dem englischen Leser nahezubringen und wo ihm dies nicht gelungen ist. Begründen Sie Ihre Meinung durch den Text! („Ich meine" oder „Ich habe das Gefühl" ist noch nicht volle Kritik!)

Ein Beispiel: Scott läßt den Vater durch „the woodland so wild" reiten. Steht das bei Goethe? Ist Scott vielleicht trotzdem berechtigt, so etwas zu sagen?

THE ERL-KING

O, who rides by night thro' the woodland so wild?
It is the fond father embracing his child;
And close the boy nestles within his loved arm,
To hold himself fast and to keep himself warm.

"Oh father, see yonder! see yonder!" he says;
"My boy, upon what dost thou fearfully gaze?" —
"O, 'tis the Erl-King with his crown and his shroud." —
"No, my son, it is but a dark wreath of the cloud."

THE ERL-KING SPEAKS
"O, come and go with me, thou loveliest child;
By many a gay sport shall thy time be beguiled;
My mother keeps for thee full many a fair toy,
And many a fine flower shall she pluck for my boy."

---

erfaßt seized **verdichtet** compressed **berechtigt** justified

"O father, my father, and did you not hear
The Erl-King whisper so low in my ear?" —
"Be still, my heart's darling — my child be at ease;
It was but the wild blast as it sung thro' the trees."

ERL-KING

"O, wilt thou go with me, thou loveliest boy?
My daughter shall tend thee with care and with joy;
She shall bear thee so lightly thro' wet and thro' wild,
And press thee and kiss thee and sing to my child."

"O father, my father, and saw you not plain,
The Erl-King's pale daughter glide past through the rain?" —
"O yes, my loved treasure, I knew it full soon;
It was the gray willow that danced to the moon."

ERL-KING

"O, come and go with me, no longer delay,
Or else, silly child, I will drag thee away." —
"O father, O father, now, now keep your hold,
The Erl-King has seized me — his grasp is so cold!"

Sore trembled the father; he spurred thro' the wild,
Clasping close to his bosom his shuddering child;
He reaches his dwelling in doubt and in dread,
But, clasped to his bosom, the infant was *dead!*

MOTIVVERWANDTE
GEDICHTE

Es kann interessant und aufschlußreich sein, Gedichte, denen ein verwandtes Motiv zugrundeliegt, miteinander zu vergleichen. Wir haben hier drei Gedichte ausgewählt, denen das Motiv der *Lockung* gemeinsam ist. Das erste, von Goethe, ist vor-romantisch; das zweite, von Eichendorff, ist ein schönes Beispiel deutscher romantischer Dichtung; das dritte, von Heine, obwohl dem Anschein nach auch romantisch, ist in Wirklichkeit mehr parodistisch-romantisch zu nennen. Um die literarischen Verhältnisse zu verstehen, die hier im Spiele sind, hilft es, die Geburtsjahre der betreffenden Dichter im Sinne zu haben: Goethe wurde 1749 geboren, Eichendorff 1788, Heine 1797.

---

aufschlußreich revealing **Lockung** temptation **gemeinsam** common (to)
dem Anschein nach apparently **betreffend** in question

3

DER FISCHER

Das Wasser rauscht', das Wasser schwoll,
Ein Fischer saß daran,
Sah nach dem Angel ruhevoll,
Kühl bis ans Herz hinan.
5 Und wie er sitzt, und wie er lauscht,
Teilt sich die Flut empor;
Aus dem bewegten Wasser rauscht
Ein feuchtes Weib hervor.

Sie sang zu ihm, sie sprach zu ihm:
10 „Was lockst du meine Brut
Mit Menschenwitz und Menschenlist
Hinauf in Todesglut?
Ach wüßtest du, wie's Fischlein ist
So wohlig auf dem Grund,
15 Du stiegst herunter, wie du bist,
Und würdest erst gesund.

Labt sich die liebe Sonne nicht,
Der Mond sich nicht im Meer?
Kehrt wellenatmend ihr Gesicht
20 Nicht doppelt schöner her?
Lockt dich der tiefe Himmel nicht,
Das feuchtverklärte Blau?
Lockt dich dein eigen Angesicht
Nicht her in ew'gen Tau?"

---

bis ans Herz hinan to his very heart **lauschen** listen (intently) **teilt sich empor** divides upward **Flut = Wasser** **List** (*f.*) cunning **Glut** (*f.*) glowing heat **Fischlein** *is dative* **wohlig** snug **stiegst** (*subjunc.*) = **würdest steigen erst** = **wirklich** **laben** refresh **wellenatmend** wave-breathing **feuchtverklärt** "transfigured by the wet" **Tau** (*m.*) dew

25 Das Wasser rauscht', das Wasser schwoll,
Netzt' ihm den nackten Fuß;
Sein Herz wuchs ihm so sehnsuchtsvoll,
Wie bei der Liebsten Gruß.
Sie sprach zu ihm, sie sang zu ihm;
30 Da war's um ihn geschehn:
Halb zog sie ihn, halb sank er hin,
Und ward nicht mehr gesehn.

JOHANN WOLFGANG VON GOETHE

(1749–1832)

---

netzen = naß machen   wie ... Gruß "as at his darling's greeting"
da ... geschehn "then it was all up with him"

4

LOCKUNG

Hörst du nicht die Bäume rauschen
Draußen durch die stille Rund'?
Lockt's dich nicht, hinabzulauschen
Von dem Söller in den Grund,
5 Wo die vielen Bäche gehen
Wunderbar im Mondenschein
Und die stillen Schlösser sehen
In den Fluß vom hohen Stein?

Kennst du noch die irren Lieder
10 Aus der alten, schönen Zeit?
Sie erwachen alle wieder
Nachts in Waldeseinsamkeit,
Wenn die Bäume träumend lauschen
Und der Flieder duftet schwül
15 Und im Fluß die Nixen rauschen –
Komm herab, hier ist's so kühl.

JOSEPH FREIHERR VON EICHENDORFF
(1788–1857)

Rund(e) = Gegend lauschen = horchen (listen intently) Söller (*m.*) =
Balkon (*m.*) Grund (*m.*) = Tal (*n.*) irr stray(ing)
Flieder lilac **duften** give off an aroma schwül heavy (scent, atmosphere)

Ich weiß nicht, was soll es bedeuten,
Daß ich so traurig bin;
Ein Märchen aus alten Zeiten,
Das kommt mir nicht aus dem Sinn.

5   Die Luft ist kühl und es dunkelt,
Und ruhig fließt der Rhein;
Der Gipfel des Berges funkelt
Im Abendsonnenschein.

Die schönste Jungfrau sitzet
10   Dort oben wunderbar,
Ihr goldnes Geschmeide blitzet,
Sie kämmt ihr goldenes Haar.

Sie kämmt es mit goldenem Kamme,
Und singt ein Lied dabei;
15   Das hat eine wundersame,
Gewaltige Melodei.

Den Schiffer im kleinen Schiffe
Ergreift es mit wildem Weh;
Er schaut nicht die Felsenriffe,
20   Er schaut nur hinauf in die Höh'.

Ich glaube, die Wellen verschlingen
Am Ende Schiffer und Kahn;
Und das hat mit ihrem Singen
Die Lore-Ley getan.

HEINRICH HEINE

(1797–1856)

---

funkeln sparkle **Geschmeide** (*n.*) = **Schmuck** (*m.*) (jewels, ornaments)
kämmen comb **dabei** "as she does so" **Riff** (*n.*) reef **verschlingen** swallow,
engulf

In den Gedichten von Goethe und Eichendorff geht die Lockung beidemal von der Natur aus, obwohl auf ganz verschiedene Weise. Das *feuchte Weib*, das im „Fischer" so unerwartet aus der Flut emportaucht, ist eine mythische Verkörperung der lockenden Macht des Wassers. Sie hat aber gar nichts Abstrakt-Allegorisches an sich, sondern sie ist eine ‚wirkliche' Gestalt, wirklicher fast als der Fischer selber. Man empfindet sehr deutlich, daß sie ein Individuum ist, aber auch, daß das Individuelle etwas Allgemeines zu bedeuten hat.

Bei Eichendorff dagegen verdichtet sich die Lockung nicht zu einer Gestalt. Hier gibt es keine ‚Personen'. Rational ist es nicht auszumachen, w e r diese eindringlichen Fragen stellt, wie es auch nicht auszumachen ist, wer das angeredete „Du" sein mag. Doch hat wohl jeder Leser oder Hörer das unabweisbare Gefühl, jemand rede i h n an und dieser Jemand sei kein anderer als die nächtliche Natur selbst. Die Lockung geht von der Natur aus und sie geht an u n s, wir identifizieren uns mit dem „Du".

Bei Goethe wird eine Geschichte erzählt; bei Eichendorff aber scheint nichts zu geschehen, mindestens nichts Äußerliches – alles ist nach innen verlegt. Die Haltung des ersten Gedichts ist distanziert-episch, d.h. balladenhaft, die des zweiten ist innig-nah, d.h. lyrisch.

Wie ist es nun mit Heines „Loreley"? Wohl verkörpert sich die Lockung in einer Gestalt, eben in der Loreley, aber worin besteht die Lockung und was stellt die Loreley dar? Von ihrem Gesang wird zwar g e s p r o c h e n, aber wir bekommen ihn nicht zu hören. Soll die Loreley die mythische Verkörperung einer Naturmacht sein, wie Goethes Wasserweib? Aber welcher Naturmacht? Der Schiffer (so „glaubt" der Dichter) geht im Wasser unter, die Loreley scheint aber mehr dem Bereich des Lichts und der Luft anzugehören – eine sich rhythmisch bewegende L u f t vision, die „*dort oben* wunderbar" sitzt und ihre Toilette macht. Und die Haltung des Gedichts dem Leser gegenüber – ist sie episch oder lyrisch? Hört man einer Geschichte zu oder erlebt man einen inneren Vorgang? Unsere Teilnahme an dem Geschehnis kann sich kaum entfalten, gerade weil der Dichter uns das Wichtigste, die Lockung selbst, fast ganz vorenthält. Wir sehen nur

---

Verkörperung embodiment **an sich** about her
verdichten compress, concentrate **eindringlich** urgent
unabweisbar inescapable **verkörpern** embody
entfalten = entwickeln vorenthalten withhold

deren Wirkung auf den Schiffer. Aus diesem Grunde kann man sich auch kaum mit dem Schiffer identifizieren, der ja sowieso erst am Ende des Liedes auftaucht. Soll man sich vielleicht mit dem „Ich" in den umrahmenden Strophen identifizieren? Das ist auch schwer, denn offenbar spricht hier der Dichter in eigener Sache und von Dingen, die nur i h n angehen. Wie man es auch auffassen will, scheint sich einem das Gedicht zu entziehen. Es behält einen eigentümlichen Schwebezustand durchaus bei und läßt uns nicht zu nahe herankommen. Bei Goethe und Eichendorff dagegen, weiß man gleich, woran man ist.

Nach dieser allgemeinen Einleitung wollen wir die einzelnen Gedichte etwas näher betrachten. Wir beginnen mit Goethes „Fischer".

Im „Fischer" wird ein Mensch, der anfangs dem Bereich der kühlen Rationalität anzugehören scheint, durch den betörenden Gesang eines außermenschlichen Wesens in einen ihm ganz fremden Bereich verlockt. Die menschliche Vernunft, „Menschenwitz und Menschenlist", erweist sich als ohnmächtig, ja sogar ein wenig absurd, der Lockung des Außermenschlichen gegenüber. Das Thema vom „Fischer" ist offensichtlich dem des „Erlkönig" nah verwandt. Im „Erlkönig" aber gelingt die Lockung nicht; das Außermenschliche muß zur Gewalt greifen: „Und bist du nicht willig, so brauch ich *Gewalt!"* „Erlkönig hat mir ein *Leids* getan!" Der Fischer dagegen erliegt der Lockung des Wasserweibs im Gefühl des höchsten Glücks:

> *Sein Herz wuchs ihm so sehnsuchtsvoll,*
> *Wie bei der Liebsten Gruß.*

Im „Erlkönig" ist das ohnmächtige Unterliegen des Menschlichen als etwas Ungeheueres gesehen. Dem Leser *grauset's* genau so wie dem Vater, daß die menschliche Vernunft der unheimlichen Macht des Nicht-Menschlichen nicht gewachsen ist.[1] Im „Fischer" aber wird

[1] Scotts Übersetzung der Ballade verwandelt dieses Grausen ins ungewollt Komische.

---

umrahmen frame in eigener Sache in one's own cause entziehen = entfliehen
eigentümlich peculiar Schwebezustand (*m.*) state of hovering between two or more positions betören delude erweisen (ie ie) prove
ohnmächtig powerless erliegen (a e) succumb (to) unheimlich uncanny
einer Sache gewachsen sein be equal to something

dieses Unterliegen eher scherzhaft-ironisch genommen. Die Haltung des Gedichts seinem Thema gegenüber ist distanziert-amüsiert.

Wie sich diese Haltung in der Form ausdrückt, sehen wir vielleicht am klarsten, wenn wir den R h y t h m u s untersuchen.[1] Der Rhythmus, der die Vorgänge begleitet, läßt diese in einem etwas andern Licht erscheinen, als der Wortlaut selbst auszusagen scheint. Der Rhythmus ‚kommentiert' das Geschehen; er ist hier ein Mittel der Distanzierung. Von dem Rhythmus stammt zum großen Teil der scherzhaft-ironische Ton des Gedichts. Bevor wir aber hierauf weiter eingehen, möchten wir wieder ein Wort über das Phänomen des Rhythmus als solches sagen, indem wir das in dem vorhergehenden Abschnitt Gesagte teilweise wiederholen und zugleich etwas erweitern.

Wir sagten, Rhythmus und Metrum seien nicht dasselbe, stünden aber in einem gewissen Verhältnis zu einander. Das Metrum bezeichnet den Takt, der Rhythmus ist die Verwirklichung der im Vers innewohnenden Dynamik. Man hat ihn „das Innenleben des Verses" gennant. Ohne den Rhythmus wäre das Metrum eine bloße Abfolge von abgezählten Takten. Der Rhythmus hängt eng mit dem S i n n der Aussage zusammen, das Metrum dagegen viel weniger (vielleicht gar nicht). Vor allem ist Rhythmus eine k i n e t i s c h e Erscheinung, Metrum dagegen eine mehr statische.

Um den Unterschied deutlicher zu machen, stellen wir ein paar Beispiele einander gegenüber, die einen verschiedenen Rhythmus, aber dasselbe Metrum zeigen.[2] Man lese sich diese Verse laut vor! (Das Metrum ist angegeben.)

I. *Es war, als hätt' der Himmel   Laßt, laßt sie triumphieren,*
    Die Erde still geküßt,   Wir treten neu hervor.
    Daß sie im Blütenschimmer   Was könnten wir verlieren?
    Von ihm nun träumen müßt'.   Die Welt ist's, die verlor.

[1] Es sei ausdrücklich darauf hingewiesen, daß das Gedicht natürlich auch von anderen Gesichtspunkten aus interpretiert werden kann.

[2] Die Beispiele sind dem Buch von Johannes Pfeiffer, *Zwischen Dichtung und Philosophie*, Bremen, 1947, 91*f.*, entnommen.

---

scherzhaft jesting **Wortlaut** (*m.*) wording **stammen von** stem from
der Rhythmus . . . Dynamik "rhythm is the actualization of the dynamism inherent in verse" **Abfolge** series **abgezählt** counted off

II.   *Schläfen, Schläfen, nichts*   *Freude, schöner Götterfunken,*

         als Schläfen!   *Tochter aus Elysium,*

    Kein Erwachen, keinen   *Wir betreten feuertrunken,*

          Traum!   *Himmlische, dein Heiligtum.*

Jener Wehen, die mich

         trafen,

   Leisestes Erinnern kaum . . .

Aus diesen paar Beispielen müßte es schon klar sein, daß es vor allem der Rhythmus (und nicht das Metrum) ist, der das Charakteristische am Vers ausmacht.

Kehren wir jetzt zum „Fischer" zurück und zu unserer Behauptung, daß der Rhythmus das Geschehen ‚kommentiere'. Als erstes wollen wir die m e t r i s c h e Norm an den zwei ersten Zeilen ablesen:

Das Wasser rauscht', das Wasser schwoll,

Ein Fischer saß daran.

Jeder wird ohne weiters zugeben, daß dies das Metrum ist. Hoffentlich werden auch die meisten zugeben, daß die folgende, allerdings nicht sehr genaue Transkription den *Rhythmus* kennzeichnet:

Das Wasser RAUSCHT' | das Wasser SCHWOLL,

Ein Fischer saß daran.

In diesen Versen hört man nicht nur das Wasser in den *s*- und *sch*-Lauten heranrauschen, sondern man spürt auch dessen Bewegung kinetisch. Nach dem Sinn dieser Verse können wir dieses rhythmische Motiv den „Wasser -" oder „Meer-Rhythmus" nennen. Ist dies nun auch der Rhythmus des am Wasser sitzenden Fischers? Offenbar nicht:

SAH nach dem Angel RUHevoll,

KÜHL bis ans HERZ hinan.

Nicht nur ist der Rhythmus des Fischers ein ganz anderer als der des Wassers, an dem er sitzt, man könnte auch fast meinen, es käme hier sogar ein neues Metrum vor. Dies ist aber nicht der Fall, sondern es liegt ‚Synkopisierung' oder ‚widermetrische Betonung' vor, ein bei Goethe beliebtes Mittel um besondere Wirkungen hervorzurufen. Indem sie den Rhythmus vom Takt des Vermaßes abhebt, zeigt die widermetrische Betonung sehr schlagend auf den Unterschied zwischen der innern Haltung des Fischers und der des Wassers, das ja hier auch fast eine ‚Person' ist.[1] Im V. 5 stellt sich der Wasser-Rhythmus wieder ein und ist auch in VV. 7 und 8 anwesend, obgleich ein bißchen anders als in VV. 1 und 2, weil hier das Enjambement das Zeilenende überspielt. Im ganzen also zeigt die erste Strophe ein bewegtes rhythmisches Bild, in dem aber der Wasser-Rhythmus entschieden vorherrscht und in starkem Kontrast zu des Fischers „kühlem" Herzen steht.

Gleichsam um Rache an diesem kühlen Herzen zu nehmen, ist die Wasserfrau aus den Wellen hervorgetaucht und beginnt nun zu reden. Da sie die mythische Verkörperung des Wassers ist, könnte man erwarten, daß ihr Rhythmus derselbe sein würde wie der des Wassers, und er ist ja wirklich sehr ähnlich, aber doch nicht ganz derselbe:

> *Sie SANG zu ihm | sie SPRACH zu ihm:*
>
> *Was lockst du meine Brut*
>
> *Mit MENSCHenwitz | und MENSCHenlist . . .* usw.

Als das Wasser ‚in eigener Person' sprach, kam die Schwellung direkt vor der Zäsur und dann wieder am Ende der Zeile, jetzt kommt sie einen Takt früher. Unverkennbar spricht hier das Wasser, aber durch eine Interpretin. Wird der Fischer auch ihr und ihrem Rhythmus gegenüber „kühl bis ans Herz hinan" bleiben?

Doch läßt es die Wasserfrau nicht dabei. In der dritten Strophe setzt sie dem Fischer zu mit der ganzen Macht ihrer glänzenden Rede-

---

[1] Können Sie ein zweites Beispiel von widermetrischer Betonung in dieser Strophe angeben? Was wird dadurch ausgedrückt?

---

widermetrisch countermetrical **liegt vor** = ist da
abheben von make contrast with
anwesend present **Enjambement** runover line **überspielen** overflow
vorherrschen predominate **gleichsam** as it were **hervortauchen** bob up
dabei lassen leave it at that
jemandem (mit Argumenten) zusetzen importune someone (with arguments)

kunst. Die Vielfältigkeit des rhythmischen Bildes entspricht der Vielfältigkeit der Lockkung:

> LABT sich die liebe SONne nicht,
>
> Der MOND sich nicht im Meer?
>
> Kehrt WELlenATmend ihr Gesicht
>
> Nicht DOPpelt SCHÖner her?   usw.

In dieser Strophe erscheint das Wasser in höchster Potenz, als ein Bereich wo nicht nur Fische leben, sondern in dem auch die großen Himmelskörper (hier sind sie eigentlich Gottheiten, wie in vielen alten Religionen) geruhen sich zu „laben", und in dem der Himmel selbst sich „verklärt". Und nicht nur das: unser eigenes Spiegelbild, als wäre es ein bevorzugterer Teil von uns selbst, auf das wir neidisch sein müßten, lockt uns auch in den anderen Bereich hinein. Das Wasser ist hier das paradiesische Gegenbild zu der „Todesglut", in der die Menschen leben. Auch lockt das Enjambement, das in VV. 19–20, 23–24 die erste Zeile sanft in die nächste hinüberzieht, den Hörer diesem Beispiel zu folgen. Kein Wunder also, daß der Fischer der Lockung nicht widersteht. Auch e r will an diesem Paradies teilhaben. Kein Wunder auch, daß er den logischen Fehler in den Worten des Wasserweibs nicht wahrnimmt, und zu meinen scheint, er könnte ebenso gut wie Sonne und Mond „doppelt schöner" wieder aus den Wellen hervortauchen! Auch daß der Himmel sich nur im Meer s p i e g e l t, bemerkt der Fischer nicht. Er nimmt den berückenden Schein für Sein und gibt nach.

Sobald er aber anfängt nachzugeben – dies stellt die letzte Strophe dar – stellt sich auch der ursprüngliche Wasser-Rhythmus, das Wasser ‚in eigener Person', triumphierend wieder ein:

> Das Wasser RAUSCHT' | das Wasser SCHWOLL . . .

Vielfältigkeit manifoldness   **entsprechen (a o i)** correspond (to)
Potenz (*f.*) potency   **geruhen** deign   **Spiegelbild** reflection
bevorzugt favored   **neidisch** envious   **widerstehen** resist
wahrnehmen (a o i) perceive   **spiegeln** reflect   **berückend** enchanting
nachgeben (a e i) yield

Der Fischer bemerkt es aber nicht. Unnachahmlich zeigt die Synkopisierung in V. 27, was jetzt aus seinem „kühlen" Herzen geworden ist:

> Sein *Herz WUCHS ihm so SEHNsuchtsvoll,*
> *Wie bei der Liebsten Gruß.*

Und von dem Rhythmus der mythischen Interpretin des Wassers ironisch begleitet, verschwindet er auf Nimmerwiedersehen:

> *Sie SPRACH zu ihm | sie SANG zu ihm;*
> ....
> *Halb ZOG sie ihn | halb SANK er hin* . . .

Er ist nicht mehr imstande, das dem Menschen unangemessene, ihm feindliche Element wahrzunehmen: er hört und spürt nur mehr das Verlockende und scheinbar Paradiesische, das sich in dem Rhythmus der Wasserfrau kundtut und dem er nicht länger widerstehen kann.

* * *

Eichendorffs „Lockung", sagten wir, sei ein schönes Beispiel deutscher romantischer Dichtung. Wenn man an die Romantik denkt, und besonders an die deutsche Romantik, so denkt man immer auch an deren „Philosophie des Unendlichen". Der Romantiker hat, wie ein Philosoph der romantischen Bewegung gesagt hat, „Sinn und Geschmack für das Unendliche". Äußerst typisch für die romantische Dichtung ist ein endloses Fern- und Heimweh, eine endlose Sehnsucht nach einem an sich Unerreichbaren. Gepaart aber mit dieser Weltanschauung ist der Glaube an die All-Einheit, die Identität alles Erschaffenen. Die All-Einheit aller Dinge stellt gleichsam die räumlich-zeitliche Form des Unendlichen dar: sie ist dessen Ausdruck im Bereich der Erscheinungen. Diese Einheit nun versucht die romantische

---

unnachahmlich inimitable   **imstande sein** be capable of   **unangemessen** incommensurate   **kundtun** announce   **Geschmack** (*m.*) taste, liking   **Sehnsucht** (*f.*) longing   **paaren** pair   das **Erschaffene** creation, that which has been created   **räumlich-zeitlich** spatial-temporal   **Erscheinung** phenomenon

Dichtung immer wieder zu versinnbildlichen. So hofft man doch, das Unendliche mindestens im Sinnbild zu erreichen. Denn so sehr sie das Primat des Gefühls betonen mag, ist die Romantik, die deutsche jedenfalls, höchst intellektuell veranlagt. Sie lebt aus der Spannung zwischen Kopf und Herz.

Auch Eichendorffs „Lockung" verkörpert diese Spannung, die ja schon in dem Begriff ‚Lockung' selbst enthalten ist, wie wir vorher in Goethes „Fischer" gesehen haben. Nur fehlt bei Goethe das typisch romantische Ingrediens des Unendlich-Indentischen, wie wir es oben eben beschrieben haben. Trotz allem Geheimnisvollen bleibt in Goethes Kosmos alles auf seinem Platz und behauptet seine eigene Individualität, und wenn es n i c h t da bleibt oder bleiben kann, so ereignet sich (wie im „Erlkönig") das Tragische oder (wie im „Fischer") das Komisch-Ironische, je nachdem der Dichter uns den Vorgang sehen läßt. Gerade dieses Behaupten der eigenen Individualität macht das Dramatische dieser Balladen aus.

„Lockung" ist aber keine Ballade, sondern reinste Lyrik. Vor unseren Sinnen breitet sich das magisch verführerische Bild einer nächtlichen Landschaft aus und wir werden dort hineingelockt, „Wir", d.h. das „Du", mit dem wir uns einsfühlen. Bei Goethe bleibt der Leser außerhalb des Gedichtes und sieht den Vorgängen zu. Hier fehlt jeder Abstand: der Leser wird ins Gedicht hineingezogen.

Das Gedicht ist eine magische Beschwörung, die eine Verwirrung (zugleich aber auch eine Erweiterung) des Gefühls hervorrufen soll. Das Du soll sich in seiner Menschlichkeit nicht bewahren können, sondern der Lockung nachgeben und mit diesem Nachtzauber eins werden. Daß das Gedicht verwirrend wirkt, bedeutet aber nicht, daß es verwirrt aufgebaut ist. Im Gegenteil. Der Aufbau, äußerlich derselbe wie im „Fischer" (acht-zeilige Strophe, Reimschema abab/cdcd), ist klar, die Syntax einfach. Die erste Strophe besteht aus zwei Fragen, von denen die zweite einen zweigliedrigen Nebensatz hat (*Wo - Und*); die zweite Strophe besteht aus einer Frage und einem Aussagesatz, an

---

versinnbildlichen symbolize **Primat** primacy **veranlagt** disposed
Begriff concept **sich ereignen = geschehen**
je nachdem according to how **verführerisch** seductive
einsfühlen = identifizieren Abstand (*m.*) = **Distanz** (*f.*)
Beschwörung incantation **Verwirrung** confusion **bewahren** keep, preserve
Nachtzauber (*m.*) nocturnal magic **zweigliedrig** containing two members

dem gleichfalls ein Nebensatz angehängt ist, der sich dreigliedrig entfaltet (*Wenn - Und - Und*); dann wird die Lockung noch einmal im veränderten Tonfall in einem Befehlssatz wiederholt (letzte Zeile). Das Ganze erinnert sehr an eine Hypnotisierung: „Du wirst schläfrig, schläfrig, noch schläfriger, schläfriger – du schläfst!" Metrum und Rhythmus decken sich durch das ganze Gedicht hindurch, was ein starkes Gefühl der Eintönigkeit hervorruft. Widermetrische Betonung fehlt gänzlich. Alles ist ein beschwörendes, eindringliches Raunen – kein bewegtes Argumentieren wie bei Goethes Wasserweib.

Höchst interessant und aufschlußreich sind in „Lockung" die Raum- und Zeitverhältnisse. Die erste Strophe ist eine Raum-Strophe (der Nebensatz fängt mit *wo* an), die zweite eine Zeit-Strophe (*wenn* im Nebensatz).

In der ersten Strophe entsteht also die Lockung aus dem räumlichen Bild. Die Fragen („Hörst du . . .?" „Lockt's dich nicht . . .?") weisen auf Orte hin, deren Grenzen sich von Zeile zu Zeile erweitern, bis das Du sich endlich in dem wunderbaren mondbeleuchteten „Grund" befindet, in einem magischen Naturbereich, wo alles Gefühl der Begrenztheit geradezu verschwunden ist. Die Bewegung verläuft von oben nach unten. Der *Söller* bezeichnet den Standpunkt des darüber-stehenden Individuums, das noch die Freiheit der Willensentschei-dung besitzt. Der *Grund* ist der Ort der Vereinigung des Individuums mit der raunenden nächtlichen Natur, wo, wie wir sehen werden, diese Freiheit verloren gehen muß.

Die magische Welt der ersten Strophe bildet nun die Grundlage für die Stimmung der zweiten. Wir sind jetzt im „Grund", mitten in einer typischen Eichendorffschen Waldeseinsamkeit. Doch zeigt es sich nun, daß dieser wunderbar verklärte Raum nicht so sehr Ziel ist, als vielmehr das Mittel, wodurch „irre Lieder aus der alten schönen *Zeit*" erweckt werden. Die lockende Stimme verspricht nun, daß diese Lieder erwachen werden, wenn der Zauber der Natur sich entfaltet (VV. 13–15) und wenn das Du sich diesem Zauber hingibt und der

---

entfalten unfold   Tonfall (*m.*) accent, emphasis
decken sich coincide   Eintönigkeit monotony   beschwören chant, conjure
eindringlich insistent   raunen murmur, whisper   aufschlußreich revealing
Begrenztheit confinement, limits   verlaufen take (its) course
Willensentscheidung decision (of the will)
verklärt transfigured   sich entfalten unfold   sich hingeben yield

Aufforderung folgt: „Komm herab, hier ist's so kühl." Dann wird das Du auch der z e i t l i c h begrenzten Welt entfliehen können, wie es der räumlich begrenzten schon entflohen ist, und in „die alte schöne Zeit" zurückkehren.

Das Thema des Gedichts ist also die Auflösung oder Beseitigung der Schranken, wie sie dem Menschen durch Raum und Zeit auferlegt sind. Die erste Strophe erweitert den Raum, bis alle Grenzen in einer magischen Stimmung verschwimmen und erreicht damit (in der zweiten Strophe) den Augenblick, wo auch die zeitlichen Schranken fallen können, wo Vergangenheit sich nicht mehr von Gegenwart unterscheidet, d.h. ein Reich der Z e i t l o s i g k e i t. Wenn aber diese zwei Kategorien (Raum und Zeit) aufgelöst werden, so löst sich auch der Begriff des menschlichen Daseins überhaupt auf.

Die „alte, schöne Zeit" ist eine Un- oder Nicht-Zeit, ein Nirgend-wann und -wo, der unbestimmte Gegenstand unendlicher Sehnsucht. Wenn das Du der Sehnsucht nachgibt, sich mit dieser Zeit zu vereinigen, so verliert es sich selbst. Die „irren" Lieder sind nicht nur h e r u m irrende Lieder, sondern auch – und zwar vor allem – Lieder, die i n d i e I r r e f ü h r e n, verführen. Eine solche Vereinigung, wie die hier dargestellte, kann kein sich-Erfüllen sein; im Gegenteil, sie ist ein sich-Verlieren und steht unter dem Zeichen der Dämonie.

Diese Auslegung läßt sich sowohl durch den Wortlaut als auch durch den Reimsymbolismus durchaus stützen. Der Schlüsselreim ist *rauschen-lauschen;* er kommt in beiden Strophen vor. In der ersten Strophe lauscht der M e n s c h der rauschenden Natur – Mensch und Natur sind noch zwei getrennte Wesen oder Einheiten. In der zweiten Strophe dagegen sind es die B ä u m e die „träumend lauschen" und die N i x e n, mythische Naturwesen also, Verkörperungen des Flusses, die rauschen. Die Natur hört nur sich selbst zu und der Mensch ist verschwunden, gleichsam aufgelöst in diesem Naturzauber. Um welchen Preis also vereinigt sich der Mensch mit dieser zauberhaften Natur?

Eine solche Naturdämonie ist ein häufiges Motiv bei Eichendorff.

Aufforderung imperative, challenge Auflösung dissolution
Schranke (*f.*) bound Dämonie (*f.*) the demonic
Auslegung = Interpretation läßt sich stützen
can be supported Naturwesen (*n.*) thing of nature, nature being
um welchen Preis at what cost? häufig frequent

Sie stellt die Kehrseite seiner Andacht vor der Natur dar, welche auch ein oft wiederkehrendes Motiv seiner Poesie ist. Zugleich deutet das Motiv der Naturdämonie auf eine Gefahr der Romantik selber und ihrer Philosophie des Unendlich-Identischen. Für Eichendorff ist die wahre Vereinigung nicht die hier dargestellte, sondern die Vereinigung mit Gott. Er ist ein frommer, katholischer Dichter, für den Gott mit seiner Schöpfung nicht identisch ist. Dies kann man freilich nicht aus unserem Gedicht allein mit aller Klarheit ersehen, sondern man muß auch andere Eichendorffsche Werke kennen.

* * *

Von den drei uns vorliegenden Gedichten ist Heines „Loreley" zweifellos am schwierigsten zu interpretieren, weil es hier am schwersten ist, der Gefühlstönung sicher zu sein. Syntax und Form dagegen werden niemand Schwierigkeiten bereiten, und die äußerliche Einfachheit zusammen mit der leicht zu behaltenden, graziös-melancholischen Melodie, die dem Gedicht in der Vertonung Friedrich Silchers beigegeben worden ist, haben wahrscheinlich das meiste dazu beigetragen, es zu einem wirklichen Volkslied zu machen.

Und in der Tat, es scheint ein Volkslied zu sein, d.h. es würde ein Volkslied zu sein scheinen, wenn in der ersten und der letzten Strophe das „Ich" nicht irgendwie störte. Alles andere, worüber wir vorhin Fragen hatten, z.B. welche Naturmacht die Loreley verkörpere, ob das Gedicht episch oder lyrisch sei usw., das alles könnte man in Kauf nehmen. Aber das Ich! Man hat das beunruhigende Gefühl, es komme irgendwie mehr auf das Ich an, als auf die Loreley.

Auch Heine, wenn er zehn Jahre früher geboren worden wäre, wäre wahrscheinlich Romantiker gewesen. Mit den Romantikern teilte er eine ausgesprochene Abneigung gegen die ‚Realität' im Sinne des Banal-Alltäglichen. Aber als Heine zu dichten begann, litt die Romantik schon an Inflation. Jeder Dichterling huldigte der romantischen

---

Kehrseite obverse **Andacht** (*f.*) reverence **fromm** pious **Schöpfung** (*f.*) creation **Gefühlstönung** (*f.*) shade of feeling **Friedrich Silcher** *deutscher Komponist* (*1789–1860*) **beigetragen** contributed **in Kauf nehmen** accept (as part of the bargain) **ausgesprochen** decided **Abneigung** disinclination **litt** *see* **leiden** **Dichterling** second-rate poet **huldigen** pay homage to

Manier und meinte, auch er könnte es wie die Großen machen. Die Romantik war zu bloßer Mode herabgesunken und selbst banal geworden. Heine war aber zu sehr Poet, um Afterpoet zu werden. Außerdem hat er anscheinend an die romantische Philosophie des Unendlichen und der All-Einheit nicht ganz glauben können. Als geborener Zweifler zweifelte er an fast allem außer einem: seiner Kunst. Die galt es zu retten.

Die Kunst aber hängt aufs intimste mit dem Glauben zusammen, mit der inneren Überzeugung. Aus dieser Not macht Heine eine Tugend: die Spannung, von der seine Kunst ihr Leben erhält (und sie ist heute noch immer sehr lebendig), ist die Spannung zwischen Glauben an die Kunst, mindestens an seine eigene, und Zweifel an fast allem anderen. So ist er, statt Romantiker zu werden, Satiriker und Ironiker der Romantik geworden. Wegen seines beißenden Spottes und der Unmöglichkeit, ihn auf irgendetwas festzulegen, ist er zum ‚Ärgernis‘ (besonders der Deutschen) geworden. Gerade das hat er ohne Zweifel gewollt.

Als Beispiel von Heines Satire seien die folgenden Zeilen angeführt:

> *Das Fräulein stand am Meere*
> *Und seufzte lang und bang,*
> *Es rührte sie so sehre*
> *Der Sonnenuntergang.*
>
> *„Mein Fräulein, sein Sie munter,*   **sein = seien**
> *Das ist ein altes Stück;*
> *Hier vorne geht sie unter*   **sie = die Sonne**
> *Und kehrt von hinten zurück."*

Hier wird das allzu Romantische, das das schwärmerische Fräulein so gerne bewundern möchte, durch die banalste, alltäglichste Erklärung lächerlich gemacht. Was aber nicht besagt, daß Heine auf der Seite

---

Afterpoet (*m.*) = Dichterling (*m.*) galt *see* gelten die . . . retten "the problem was to rescue *it*" aus der Not eine Tugend machen make a virtue of necessity beißender Spott biting mockery, scorn jemand auf etwas festlegen pin someone down to something Ärgernis (*n.*) vexation seien . . . angeführt let us quote schwärmerisch overly enthusiastic lächerlich absurd besagen = meinen

des Banal-Alltäglichen steht. Er ist nur gegen das Aufgeschwollene und Unwahre, das zugleich das Unästhetische und Unkünstlerische ist.

„Ich weiß nicht, was soll es bedeuten . . ." kann man aber nicht satirisch nennen. Ist es vielleicht ironisch? Wir müssen es uns näher ansehen.

Der Dichter behauptet, er sei *traurig*, wisse aber nicht, was das zu *bedeuten* habe. Liegt es vielleicht an dem „Märchen aus alten Zeiten", das ihm „nicht aus dem Sinn" kommt? Seine Aussage darüber bleibt zweideutig: man weiß nicht: ist er traurig wegen des Märchens selbst und seines Inhalts oder weil er das Märchen nicht vergessen kann?

Die Syntax der ersten Strophe ist entsprechend zweideutig. „Ich weiß nicht", sagt der Dichter, und wir erwarten, daß er fortfährt: „was das bedeuten *soll*", aber statt dessen stellt er eine Art Halbfrage: „was soll das bedeuten(?)", was natürlich im Leser die Gegenfrage hervorruft: Was soll w a s bedeuten? So halb-zögernd, zweideutig-zweifelhaft fängt das Gedicht an, fast als schäme sich der Dichter vor seinem eigenen Gedicht.

Ganz anders ist die Gefühlstönung der nächsten 15 Zeilen. Hier ist alles klar, wenigstens äußerlich, auch wenn manche Frage unbeantwortet bleibt. Die Verse fließen so ruhig dahin wie der Rhein selber, leicht belebt durch unregelmäßige Setzung der Senkungen:

$$\overset{\cup}{Die} \ \overset{\_}{Luft} \ \overset{\cup}{ist} \ \overset{\_}{kühl} \ \overset{\cup}{und} \ \overset{\cup}{es} \ \overset{\_}{dun}\overset{\cup}{kelt},$$

$$\overset{\cup}{Und} \ \overset{\_}{ru}\overset{\cup}{hig} \ \overset{\_}{flie}\overset{\cup}{ßt} \ \overset{\_}{der \ Rhein} \ . . .$$

Nirgends widermetrische Betonung und nur sehr schwach wirkendes Enjambement. Die Syntax ist die Einfachheit selbst. Nur einmal (VV. 17 und 18) kommt Inversion vor; sonst gibt es eine beinah primitiv wirkende Abfolge von Subjekt-Verb-Objekt (Prädikat). Die Sätze klingen wie ganz natürliche Sprechsätze.

In der Tat, man könnte meinen, man höre ein echtes Volkslied, ein wirkliches „Märchen aus alten Zeiten", wie sie die Romantiker liebten

---

es liegt an + *dat.* it is due to   **zweideutig** ambiguous
entsprechend correspondingly   **zögern** hesitate   **beleben** enliven

und sammelten.[1] Auch wenn es nichts dergleichen ist. Denn in Wahrheit ist das „Märchen" von der Loreley keineswegs alt, sondern eine literarische Erfindung von Heines romantischen Zeitgenossen.[2] Als er diese Zeilen schrieb, war „das Märchen aus alten Zeiten" ungefähr 20 Jahre alt. Hier ist also etwas anderes, was uns bedenklich stimmen müßte, eine Warnung für den Kenner, das Lied nicht für bare Münze zu nehmen.

Wir erinnern uns daran, daß hier die Lockung – im Gegensatz zu den Gedichten von Goethe und Eichendorff – eigentlich nicht gestaltet wird, es wird nur davon gesprochen; der Gesang der Loreley wird nur beschrieben, nicht vorgetragen. Es ist ein Gedicht ü b e r das Motiv der Lockung, nicht die G e s t a l t u n g einer Lockung. Mit anderen Worten, es ist Dichtung über Dichtung. Es ist, als dürfte der nachromantische Dichter solche hochromantischen Motive in eigener Person nicht mehr behandeln, als stünden sie ihm nicht mehr zu. Trotzdem kommen sie ihm „nicht aus dem Sinn"; er möchte sie wohl behandeln, wenn er das künstlerische Recht dazu hätte. Aber er, Heine, darf sie nur z i t i e r e n und zu ironischen Zwecken gebrauchen. (Der naivere Leser merkt die Ironie nicht und liest das Lied weiterhin „romantisch".) D a r ü b e r ist Heine wohl „traurig", sicher nicht über die etwas unstimmige Geschichte von der Loreley. Es wäre gegen sein künstlerisches Ethos, sich auf seriöse Weise als Romantiker zu geben, wie so mancher seiner minderbegabten Altersgenossen, jene Dichterlinge, die der Mode huldigten. Also ironisiert er seine Situation. Das Lied gestaltet demnach nicht so sehr die Lockung des Schiffers auf

---

[1] Das Interesse für das Volkstümliche, besonders für Volkspoesie, war in der Romantik sehr rege. Auch Heine war dafür begeistert. Die bekannteste Sammlung deutscher Volkspoesie ist *Des Knaben Wunderhorn* (1805*ff.*), herausgegeben von zwei bedeutenden romantischen Dichtern, Achim von Arnim und Clemens Brentano.

[2] Das erste Loreley-Lied ist von Clemens Brentano. Heines geht aber zurück auf die Behandlung des Themas durch einen anderen Dichter, Otto Heinrich von Loeben.

---

das Volkstümliche folklore, etc.   **rege** lively   **der Zeitgenosse** contemporary
bedenklich stimmen give (one) pause   **für bare Münze nehmen** take at face
value   **behandeln** treat   **es steht mir zu** it is my right   **zitieren** cite, quote
unstimmig inconsistent   **minderbegabt** less gifted
der Altersgenosse contemporary   **demnach** accordingly

dem Rhein durch die Loreley, als die Lockung Heines durch die Romantik.

Die Ironisierung geschieht durch die Umrahmung des ‚Volkslieds' durch das moderne dichterische Ich. (In der letzten Strophe wird die Ironie noch einmal unterstrichen durch das *Ich glaube,* als wüßte der Sänger nicht, wie sein eigenes Lied ausgeht!) Die Ironie bezieht sich hauptsächlich auf den Dichter selbst und sein halb-verschämtes Verlangen nach dem (für ihn) künstlerisch Verbotenen; sie zeigt auf seine eigene zweideutige Stellung innerhalb einer Zeit, in der das Neue noch nicht da ist und das Alte schon überholt. Zugleich aber steckt auch darin ein Seitenhieb auf seine Altersgenossen, die meinten, man könnte immer noch solche romantischen Töne anstimmen o h n e Ironie.

Fragen zum Nachdenken

1. Welches von den drei Gedichten läßt sich am leichtesten in Prosa nacherzählen? Warum? Welches läßt sich überhaupt nicht nacherzählen? Warum?

2. Verben / Adjektiv-Adverbien / Hauptwörter: Versuchen Sie festzustellen, welche Wortklasse(n) in jedem der drei Gedichte die wichtigste Rolle spielt/spielen. Können Sie sagen, warum dies ist?

3. Welches Gedicht enthält die meisten ‚poetischen' Wörter, so wie sie „das Fräulein am Meere" bevorzugen würde?

Welches Gedicht enthält Wörter, die man wohl versteht, die aber nicht im Wörterbuch zu finden wären? In welchem Gedicht werden ganz gewöhnliche Wörter in einem ungewöhnlichen Sinne gebraucht?

4. Gebrauch der Zeiten: „Der Fischer" ist eine Ballade und gebraucht das Präteritum, um eine Geschichte zu erzählen. „Lockung" ist lyrisch und gebraucht das Präsens, um Zeitlosigkeit auszudrücken.

Umrahmung framing   **überholt** outmoded   **Seitenhieb** (*m.*) glancing blow
anstimmen strike up   **feststellen** determine   **bevorzugen** prefer
Zeiten tenses   **Präteritum** simple past

„Ich weiß nicht, was soll es bedeuten" gibt sich balladenhaft, gebraucht aber das Präsens. Können Sie einen Grund dafür angeben?

5. In zwei von den drei Gedichten geht es ganz klar um das Verhältnis des Menschen zur Natur. In welchen? Wie steht es mit dem dritten Gedicht, dem doch dasselbe Thema scheinbar zugrundeliegt? Um welches Verhältnis geht es hier eigentlich?

6. Versuchen Sie das Bild der Natur, wie es in jedem der drei Gedichte erscheint, genau zu kennzeichnen!

7. Im „Erlkönig" haben wir verschiedene Sprecher erkannt. Wer sind die Sprecher in diesen Gedichten? Was wird durch die Unterschiede in bezug auf die Sprecher hervorgehoben?

8. Unten bringen wir zwei Gedichte, die gleichfalls das Thema der Lockung behandeln. Vergleichen Sie sie in bezug auf Stoff, Form und Gehalt mit den drei Gedichten, die wir eben untersucht haben!

---

sich geben appear to be, give oneself the air of being
es geht um etwas it is a question of something
in bezug auf in relation to   **Stoff** (*m.*) subject matter

6

WALDGESPRÄCH

Es ist schon spät, es wird schon kalt,
Was reit'st du einsam durch den Wald?
Der Wald ist lang, du bist allein,
Du schöne Braut! Ich führ' dich heim!

5 „Groß ist der Männer Trug und List,
Vor Schmerz mein Herz gebrochen ist,
Wohl irrt das Waldhorn her und hin,
O flieh! Du weißt nicht, wer ich bin."

So reich geschmückt ist Roß und Weib,
10 So wunderschön der junge Leib,
Jetzt kenn' ich dich – Gott steh' mir bei!
Du bist die Hexe Loreley.

„Du kennst mich wohl – von hohem Stein
Schaut still mein Schloß tief in den Rhein.
15 Es ist schon spät, es wird schon kalt,
Kommst nimmermehr aus diesem Wald!"

JOSEPH FREIHERR VON EICHENDORFF
(1788–1857)

---

heimführen = heiraten   Trug (*m.*) deception   List (*f.*) cunning
geschmückt adorned   Roß (*n.*) = Pferd (*n.*)

43

7

WINTERNACHT

Nicht ein Flügelschlag ging durch die Welt,
Still und blendend lag der weiße Schnee.
Nicht ein Wölklein hing am Sternenzelt,
Keine Welle schlug im starren See.

5 Aus der Tiefe stieg der Seebaum auf,
Bis sein Wipfel in dem Eis gefror;
An den Ästen klomm die Nix herauf,
Schaute durch das grüne Eis empor.

Auf dem dünnen Glase stand ich da,
10 Das die schwarze Tiefe von mir schied;
Dicht ich unter meinen Füßen sah
Ihre weiße Schönheit Glied um Glied.

Mit ersticktem Jammer tastet' sie
An der harten Decke her und hin –
15 Ich vergeß das dunkle Antlitz nie,
Immer, immer liegt es mir im Sinn!

GOTTFRIED KELLER

(1819–1890)

Flügelschlag (*m.*) wingbeat **Sternenzelt** (*n.*) = **Himmel** (*m.*)
starr = **gefroren** **Wipfel** (*m.*) top, tip **Ast** (*m.*) branch
dicht = **ganz nah** **Glied** (*n.*) member, limb **ersticken** choke
tasten = **hin und her fühlen** **Anlitz** (*n.*) = **Gesicht** (*n.*)

SYMBOLISCHE GEDICHTE

Wir haben diesen Abschnitt „symbolische Gedichte" überschrieben, als wären nicht alle Gedichte symbolische Gebilde, was sie aber selbstverständlich sind. Denn die Sprache selbst ist ihrer Natur nach symbolisch und im Gedicht wird deren symbolische Natur besonders ausgewertet. Man kann sogar sagen, das Wesen eines Gedichts, ja eines Sprachkunstwerks überhaupt, liegt gerade in dieser symbolischen Auswertung der Sprache.

Wenn wir z.B. in den vorhergehenden Abschnitten von dem bedeutungsvollen Gebrauch des Reims (etwa in „Heidenröslein", „Erlkönig" und „Lockung") sprachen, so ging es im Grunde um Symbole. Dasselbe gilt für alle expressiven Züge im Gedicht, für Syntax, Metrum, Rhythmus, Aufbau usw. Dies alles ist symbolisch oder kann es sein, wenn es über sich selbst hinaus und auf etwas anderes (fast immer auf etwas Geistiges) hinweist.

Wenn wir aber am Ende von unserer Besprechung von Heines „Loreley" meinten, man könne das Lied der Loreley als ein Symbol des Romantischen auffassen, wovon der Dichter gelockt werde, so haben wir das Wort Symbol in einem etwas weiteren Sinne gebraucht. Dort ging es um ein Ding (das Loreleylied), das sowohl sich selber als auch etwas anderes bedeuten konnte. Das andere haben wir zu erschließen versucht, um das Gedicht mit tieferem Verständnis lesen zu können. Es ist nicht immer leicht, „das andere" zu erschließen und ist außerdem immer der Gefahr einer allzu subjektiven Interpretation ausgesetzt, einer Gefahr, die umso größer ist, je naiver und je weniger kenntnisreich der Interpret. Man muß also vorsichtig sein. Man darf aber auch nicht allzu eifrig sein und alles und jedes um jeden Preis symbolisch auslegen wollen.

Bei jeder Interpretation ist der Wortlaut des Textes selbst das erste und wichtigste. Was sich nicht durch den Text stützen läßt, bleibt immer unsicher. So haben wir bei der Auslegung von der „Loreley" das Ironisch-Symbolische des Loreleylieds nicht nur aus der literarhistorischen Situation erschlossen, sondern auch aus dem Wortlaut selber: aus der Gefühlstönung der ersten Strophe und aus dem Kontrast

---

Gebilde (*n*.) structure **auswerten** exploit **Sprachkunstwerk** (*n*.) linguistic work of art **es geht um** it is a question of **Züge** features
auffassen = interpretieren **erschließen** infer
ausgesetzt exposed to **kenntnisreich** knowledgeable **vorsichtig** cautious
eifrig zealous **stützen** support

zwischen dieser Strophe und dem mittleren Teil des Gedichts und schließlich aus der Umrahmung dieses Teils durch das „Ich".

Aber trotz aller Schwierigkeiten beim Interpretieren des Symbolischen und trotz aller damit verbundenen Unsicherheit kann man diesen Aspekt des Lesens nicht einfach beiseite lassen, als wäre er unwichtig. Das Erschließen des Symbolischen ist nicht nur wichtig, es ist auch hochinteressant, weil es unserem Lesen eine neue Dimension verleiht. Daß wir unsere Freude daran haben, ist nur natürlich, denn der Mensch ist das Tier, das Symbole gebraucht.

Die Gedichte in diesem Abschnitt lassen sich alle in dem eben besprochenen Sinn symbolisch lesen, auch wenn das Symbolische sich nicht gerade aufdrängen mag. Aber Vorsicht! Die erste Frage muß immer sein: Was steht da geschrieben?

---

verleihen = geben   aufdrängen force upon

8

DAS ZERBROCHENE RINGLEIN

In einem kühlen Grunde
Da geht ein Mühlenrad,
Mein' Liebste ist verschwunden,
Die dort gewohnet hat.

5   Sie hat mir Treu' versprochen,
Gab mir ein'n Ring dabei,
Sie hat die Treu' gebrochen,
Mein Ringlein sprang entzwei.

Ich möcht' als Spielmann reisen
10   Weit in die Welt hinaus,
Und singen meine Weisen,
Und gehn von Haus zu Haus.

Ich möcht' als Reiter fliegen
Wohl in die blut'ge Schlacht,
15   Um stille Feuer liegen
Im Feld bei dunkler Nacht.

Hör' ich das Mühlrad gehen:
Ich weiß nicht, was ich will –
Ich möcht' am liebsten sterben,
20   Da wär's auf einmal still!

JOSEPH FREIHHERR VON EICHENDORFF
(1788–1857)

Mühlenrad (*n.*) millwheel **Spielmann** = **fahrender Sänger** (minstrel)
Weisen = **Melodien, Lieder** **Schlacht** (*f.*) battle

In diesem volksliedartigen Gedicht von Eichendorff, das – wie Goethes „Heidenröslein" und Heines „Loreley" – auch zum wirklichen Volkslied geworden ist, findet man eine Reihe von Symbolen, beziehungsweise von symbolischen Situationen. Um das allerverständlichste gleich herauszugreifen, so ist es jedem sofort klar, daß das zerbrochene Ringlein die gebrochene Treue versinnbildlicht, ja dies wird ausdrücklich gesagt (VV. 7–8).

Auch daß die Bilder vom Spielmann und Reiter nicht n u r im buchstäblichen Sinne genommen werden müssen, werden die meisten Leser zugeben. Als symbolische Situationen drücken sie den Wunsch aus: „O, wär' ich weit hinweg von hier!" „Ach, könnte ich nur vergessen!" Daß es zwei fast entgegengesetzte Bilder sind, weist auf ihren symbolischen Charakter hin, und ebenfalls die Ausdrücke: *a l s Spielmann* und *a l s Reiter* anstatt: Ich will Spielmann /Reiter w e r d e n. Spielmann und Reiter sind Rollen, die der Sprecher etwa spielen möchte. Es sind Bilder, die des Sprechers Verlangen nach Flucht und Vergessen audrücken.

Warum möchte er wohl Spielmann sein? Warum sonst, als daß er in dieser Rolle Lieder von der Untreue singen könnte, sein eigenes Leid klagen, um daraus Trost zu ziehen? Denn worauf sonst, als auf die Untreue, könnten sich s e i n e Lieder beziehen? Doch den fahrenden Sänger zu spielen, ist nicht sein tiefster Wunsch – dies zeigt das nächste Bild, das vom Reiter. Im Grunde ist sein Leid untröstlich, höchstens kann er davon abgelenkt werden. Die beste Ablenkung ist aber die Gefahr und die würde er als Reiter finden. Vielleicht fände er sogar den Tod, den allerbesten Ablenker und einzigen Tröster. Zugleich deutet das Bild von *um stille Feuer liegen* (die Lagerfeuer der Reiterei im Felde) auf Kamaradschaft hin, eine Kamaradschaft, die ihm vielleicht Schutz und Vergessen bringen würde.

Der Ring, der dem Gedicht seinen Titel gibt, ist ein Ding-Symbol. Doch der Ring ist nicht das wichtigste Ding-Symbol im Gedicht, sondern das Mühlenrad. Durch alten Gebrauch hat das Rad – auch das Mühlenrad – starke sinnbildliche Bedeutung angenommen, die auf Leben und Schicksal hinweist. So sagt man z.B. sprichwörtlich:

---

beziehungsweise as the case may be **versinnbildichen** symbolize
ausdrücklich expressly **buchstäblich** literal **ablenken** distract
sinnbildlich = **symbolisch** **sprichwörtlich** proverbially

„Gottes Mühlen mahlen langsam, mahlen aber trefflich fein"; man spricht von „Fortunas Rad" und redensartlich heißt es: „Es geht mir wie ein Mühlrad im Kopf herum."

In der ersten Strophe geht das Mühlenrad „in einem kühlen Grunde", in der letzten aber wo? Wo das Mühlrad steht, ist keineswegs unwichtig. Aus „Lockung" wissen wir, daß für Eichendorff „Grund" ein bedeutungsschweres Wort ist. Im „Grund" vereinigt sich die Seele mit dem Gegenstand ihrer Sehnsucht, sei es mit der Natur, mit Gott oder mit dem Geliebten. Das Mühlenrad steht also nicht nur im *Tal*grund, es steht auch im *Herzens*grund. Einst waren das Mühlenrad und die Liebste unzertrennlich verbunden, und das Leben hatte Inhalt, Sinn, Harmonie; jetzt in der Trennung hat das Leben seinen Sinn verloren, aber das Mühlrad – und das Leben! – gehen unaufhörlich weiter, und keine Ablenkung kann den Verlassenen über die Sinnlosigkeit dieses ,Weitergehens' hinweghelfen – ihm bleibt nur der Tod.

Übung

Untersuchen Sie den Gebrauch des Reims in diesem Gedicht. Welche Reime sind besonders ,sprechend'? Erklären Sie! Wie ist die Situation in der letzten Strophe? Hat dies etwas zu bedeuten?

Gottes Muhlen . . . "the mills of the gods grind slowly, but they grind to powder"   **redensartlich** *see* **die Redensart** (phrase, saying)
Es geht mir . . . "I'm totally confused"

9

Ein Fichtenbaum steht einsam
Im Norden auf kahler Höh'.
Ihn schläfert; mit weißer Decke
Umhüllen ihn Eis und Schnee.

5   Er träumt von einer Palme,
Die fern im Morgenland
Einsam und schweigend trauert
Auf brennender Felsenwand.

HEINRICH HEINE

(1797–1856)

Jeder Leser dieses Gedichts spürt wohl, daß es sich hier nicht
ausschließlich um zwei Bäume handelt. Offenbar ,bedeuten' Fichte
und Palme etwas; sie scheinen über sich hinauszuweisen. Das kann
man schon von der aufdringlichen Personifikation, der ,Naturbe-
seelung', ablesen. Daß es sich um ein Männliches und ein Weibliches
handelt, ist auch klar: der Fichtenbaum und die Palme. Außerdem
wissen wir, daß Fichten die typischen Bäume des nördlichen, besonders
des deutschen Waldes sind, Palmen die des Südens und des Nahen
Orients. Ein nördlicher (deutscher) Fichtenbaum träumt also von
einer südlichen, orientalischen Palme. Das Wort *träumen* macht es
klar, daß es sich hier um eine menschliche Lage handelt. Wenn man
dazu noch weiß, daß Heine deutscher Jude war und daß die Juden ein
morgenländisches Volk sind, dann vertieft sich noch der Symbolismus.
Es könnte wohl sein, daß in diesem Gedicht der nördliche deutsche
Jude Heine seiner Sehnsucht nach dem verlorenen, weiblichen, morgen-

---

Fichtenbaum fir tree **kahl** bare **ihn schläfert** he (it) feels drowsy
Morgenland = Orient **Felsenwand** (*f.*) cliff
ausschließlich exclusive **aufdringlich** urgent, importunate

ländischen Teil seines eigenen Wesens Ausdruck geben will. Für diese seelische Lage wären dann Fichtenbaum und Palme die *objective correlatives*.[1] Es ist wahr, daß man dies nicht b e w e i s e n kann; man kann es nur als wahrscheinlich annehmen. Vielleicht werden Sie (oder Ihr Lehrer) eine ganz andere Auslegung finden! Nur eins scheint sicher zu sein: hier hat Heine ein Symbol von großer Anziehungskraft geschaffen, ein Symbol, das man kaum vergessen wird, wenn man ihm einmal begegnet ist.

Genial ist der Gebrauch des Rhythmus, um das Seelische zu versinnbildlichen. Die erste Strophe besteht aus zwei Sätzen, die aber in Wirklichkeit drei sind, denn es gibt eine volle Pause nach *schläfert* sowohl als nach *Höh* und *Schnee*. Jeder Ansatz zur Ausdehnung wird aufgehalten: der Fichtenbaum steht völlig isoliert auf seiner *kahlen Höh'*. Die zweite Strophe dagegen besteht aus nur einem Satz und hat zweimal Brechung (die Brechung zwischen VV. 6 und 7 ist besonders expressiv). Durch die Traumgegenwart der Palme scheint die Einsamkeit des Fichtenbaumes gelindert und getröstet. Die Ausdehnung im Rhythmus bringt förmlich die Ausdehnung der Sehnsucht, ja das Sehnen selbst zum Ausdruck.

Fragen zum Nachdenken

1. Unsere Auslegung von „*Ein Fichtenbaum steht einsam . . .*" ist nicht die ‚offizielle', mindestens nicht diejenige des Herausgebers der kritischen Ausgabe von Heines Werken. Dieser Herausgeber bezieht das Gedicht auf des Dichters vergebliche Liebe für seine Kusine Amalie Heine, die Tochter eines reichen Hamburger Kaufmanns. Nach der Auslegung des Herausgebers ist das „Grunderlebnis" des Gedichts (d.h. das Grunderlebnis Heines beim Schreiben

---

[1] Term introduced into criticism by T. S. Eliot, who wrote: "The only way of expressing emotion in the form of art is by finding an 'objective correlative' in other words, a set of objects, a situation, a chain of events which shall be the formula of that *particular* emotion. . . ."

Anziehungskraft appeal, attractive force **Ansatz** beginning **Ausdehnung** expansion **Brechung** = **Enjambement** **lindern** soothe **förmlich** veritable **Herausgeber** editor **Ausgabe** edition **vergeblich** vain

des Gedichts) „der Schmerz [des Dichters] über die dauernde Trennung von der nunmehr vermählten Amalie."[1]
Was halten S i e von dieser Auslegung? Wie paßt sie zu den Bildern, die im Gedicht verwendet werden?

2. Wie der Rhythmus der ersten Strophe einen Gegensatz zu dem der zweiten bildet, so finden sich auch Gegensätze in Wort und Bild zwischen den beiden Strophen. Schreiben Sie diese Gegensätze auf! Was wird durch eine solche Häufung von Gegensätzen hervorgehoben?

---

[1] *Heines Werke,* hrsg. von Ernst Elster, 2. Ausgabe, Bd. I, Leipzig o. J., 449.

---

vermählt = verheiratet   verwenden = gebrauchen
Gegensatz (*m.*) contrast   Häufung piling up   hervorheben emphasize

10

AUF EIN ALTES BILD

In grüner Landschaft Sommerflor,
Bei kühlem Wasser, Schilf und Rohr,
Schau, wie das Knäblein Sündelos
Frei spielet auf der Jungfrau Schoß!
5 Und dort im Walde wonnesam,
Ach, grünet schon des Kreuzes Stamm!

EDUARD MÖRIKE

(1804–1875)

„Auf ein altes Bild" ist, wie uns die Überschrift ja sagt, ein Gedicht
über ein Gemälde. Dieses wird in dem Gedicht beschrieben; was dort
in Farben steht, wird hier in Worte umgesetzt. Aber das Gemälde wird
nicht nur beschrieben, es wird zugleich interpretiert. Der Dichter
will die Bedeutung des alten Bildes klar herausstellen. Selbstverständlich
ist seine Interpretation nicht diskursiv, sie ist kein Vortrag über
ein Kunstwerk, sondern ein Kunstwerk selber.

Was zeigt das alte Bild? In einer grünen Sommerlandschaft sitzt
die Heilige Jungfrau am Wasser mit dem spielenden Jesuknaben auf
dem Schoß. Im Hintergrund ist ein Wald. Mehr kann man mit Bestimmtheit über das Bild nicht sagen. Es ist auch möglich, daß auf
dem alten Bilde, das Mörike im Sinne hatte, einer der Bäume im
Hintergrund die Form des Kreuzes andeutet, an dem dieses Kind einst
sterben soll. Man müßte das Bild selbst kennen, um zu wissen, ob

---

title "On an old painting" **in . . . Sommerflor** "in the summer luxuriance
of a green landscape" **Schilf** (*n.*) sedge **Rohr** (*n.*) cane **das Knäblein
Sündelos = das Christkind** ("Child Sinless") **der Jungfrau Schoß** the Virgin's
lap **wonnesam = voller Wonne** (bliss) **Überschrift = Titel**
Gemälde (*n.*) **= Bild herausstellen = hervorheben Vortrag** (*m.*) lecture
andeuten hint at

54

dies eine Zutat des Dichters ist oder ob es schon durch den Maler angedeutet wurde. Wie dem auch sein mag, steht es doch außer Zweifel, daß der Dichter durch seinen Hinweis auf das z u k ü n f t i g e Kreuz, das noch im Werden begriffen ist, ein Element in das Gedicht hineinbringt, das im Bilde nicht vorhanden sein kann. Dies ist das Element der Z e i t. An und für sich kann die Malerei nur den Raum gestalten, sie ist eine Raumkunst; die Dichtung dagegen gestaltet die Zeit, sie ist eine Zeitkunst. Hier wird also eine Raumkunst mit den Mitteln einer Zeitkunst wiedergegeben und ausgelegt. Auf die Rolle der Zeit kommen wir bald zurück.

Wie gesagt, uns will der Dichter die Bedeutung, die Botschaft des alten Bildes, klarmachen. Diese Botschaft ist natürlich keine andere als die „frohe Botschaft", das Evangelium (das Wort bedeutet „frohe Botschaft") von dem Reich Christi. So ist jeder Zug, jedes Wort dieses kleinen Gedichts symbolisch: alles weist über sich hinaus auf ein Anderes, Höheres.

Und doch wie gesättigt sind hier die Farben, wie irdisch-real ist die symbolische Darstellung der überirdischen Botschaft! Nichts, was zeichenhaft-abstrakt erscheint, nichts bloß Allegorisches, sondern alles selbstberechtigtes Leben. Was hier auf ein Anderes hinweist, ist zu gleicher Zeit das Andere selbst und weist auf sich selbst hin, was ja fast die Definition eines Symbols ist. Zugleich reflektiert dieser Zustand das Wesen des Christentums, welches die Religion des Gottesmenschentums ist, irdisch u n d überirdisch.

Wegen seiner gesättigten Wortfarben scheint das Gedicht-Bild stillzustehen, d.h. es macht einen sehr ‚bildhaften' Eindruck. Was sind die technischen Mittel, wodurch dieser Eindruck hervorgerufen wird? Es sind hauptsächlich drei. (1) Der vorangestellte Genitiv: *in grüner Landschaft Sommerflor* anstatt „im Sommerflor einer grünen Landschaft"; *auf der Jungfrau Schoß* anstatt „auf dem Schoß der Jungfrau"; *des Kreuzes Stamm* anstatt „der Stamm des Kreuzes". Solche Zusammendrängung verleiht der Syntax Dichte und läßt uns langsamer lesen, so daß das hervorgerufene Bild gleichsam stillesteht. (2) Der langsame

---

Zutat (*f.*) addition   **wie dem auch sein mag** however that may be
zukünftig future   **im Werden begriffen** in the process of becoming
Malerei (*f.*) painting   **Botschaft** message   **gesättigt** rich, saturated   **irdisch**
earthly   **zeichenhaft** *see* **das Zeichen** (sign)   **selbstberechtigt** self-justified
vorangestellt preposed   **verleihen** = **geben**   **Dichte** (*f.*) density

Rhythmus ist durch Wörter beschwert, die einen schweren sekundären Akzent tragen: Landschaft, Sommerflor, Knäblein, Jungfrau, wonnesam, (Kreuzes Stamm), was gleichfalls Stillstand suggeriert. Diese Mittel haben eine direkt kinetische Wirkung. Das dritte Mittel dagegen, das Fehlen von dynamischen, vorwärtstreibenden Verben nämlich, appelliert vielleicht mehr an den Verstand als an die Sinne. In den zwei ersten Zeilen gibt es gar kein Verb; die dritte enthält den Imperativ „schau!", der aber keine Aufforderung zur Bewegung ist, sondern vielmehr zur intensiven Betrachtung, zum Stillestehen. Das Christkind *spielet* zwar, aber innerhalb eines abgesteckten Raumes: *auf der Jungfrau Schoß*. Alle Präpositionen regieren den Dativ, keine den Akkusativ: alles ist Wo, nichts ist Wohin. Alles ist zeitloser Raum, d.h. Bild. Bis zur letzten Zeile. Durch das *grünet* in der letzten Zeile (ein Echo des *grüner* in V. 1) kommt fast plötzlich eine höchst bedeutsame Bewegung in das Bild, d.h. es kommt etwas sehr ‚Unbildhaftes' hinein. Diese Bewegung deutet auf eine nie stillestehende Zeit hin, die ‚erfüllt' werden muß, damit der göttliche Heilsplan sich auswirken kann. Denn „grünen" hat mit Wachsen, mit Entwicklung zu tun, und sinnbildlich mit Erfüllung. Es zeigt auf ein Kommendes. Der junge Baum, der dazu bestimmt ist, einst das Kreuz zu sein, wächst unaufhörlich.

Was zeitloses Idyll schien, verzeitlicht sich und wird tragisch, denn das Tragische ist eine Funktion der Zeit. Doch ist, was hier geschieht, tragisch nur von einem bedingten menschlichen Standpunkt aus, nicht von dem des göttlichen Heilsplans. Denn hier wird doch die f r o h e Botschaft von dem sich selbst aufopfernden Gott verkündet, die Botschaft vom Tod als das Tor zum ewigen Leben, das christliche Paradox. Dennoch preßt das „wonnesame" Wachsen des Kreuzes ein „ach!" aus der menschlichen Brust hervor, genau so ahnungsvoll und schmerzerfüllt wie das Gebet Jesu im Ölgarten: „Mein Vater, ist es möglich, so gehe dieser Kelch von mir" (Matth. 26:39).

Jedes Zeilenpaar bringt ein anderes symbolisches Bild: das erste

---

suggerieren suggest Aufforderung summons, invitation abgesteckt circumscribed der göttliche Heilsplan divine plan of salvation Idyll (*n.*) idyll (*look this word up in a large dictionary!*) sich verzeitlichen become temporal bedingt conditioned, circumscribed aufopfern sacrifice ahnungsvoll full of premonition Ölgarten Mount of Olives

zeigt die zeitlose Natur; das zweite den verzeitlichten jungen Gott, der aber noch nichts von seinem zeitlichen Los spürt und in dieser Natur *f r e i* spielet; das dritte zeigt die in die Zeit aufgenommene Natur (den grünenden Baum). Das letzte Bild greift dann auf die vorhergehenden zurück, sie auch in die Zeit hineinreißend, sie aber auch zugleich durch die heilige Botschaft verewigend. Erst durch den Eintritt der Zeit erhält das Ganze einen überzeitlichen Sinn.

Der sündhafte Mensch, den dies alles doch zutiefst angeht, ist nur *implicite* gegenwärtig als Betrachter des Bildes. Seine Gegenwart spüren wir vor allem in dem *schau!*, dem *wonnesam* und dem *ach!*

Fragen zum Nachdenken

Bei Heines „*Ein Fichtenbaum steht einsam . . .*" mußten wir zugeben, daß auch andere Auslegungen wohl möglich wären. Wie ist es mit „Auf ein altes Bild"? Ließe sich dieses Gedicht auch w e s e n t l i c h anders interpretieren? Wenn nicht, warum nicht? Worin besteht der Unterschied im Gebrauch von Symbolen zu dem Gedicht von Heine?

Los (*n.*) lot, fate   **hineinreißen** pull, draw in   **sündhaft** sinful
implicite implicitly   **zugeben** admit   **wesentlich** essentially

11

DENK ES, O SEELE!

Ein Tännlein grünet wo,
Wer weiß, im Walde,
Ein Rosenstrauch, wer sagt,
In welchem Garten?
5　Sie sind erlesen schon,
Denk es, o Seele,
Auf deinem Grab zu wurzeln
Und zu wachsen.

Zwei schwarze Rößlein weiden
10　Auf der Wiese,
Sie kehren heim zur Stadt
In muntern Sprüngen.
Sie werden schrittweis gehn
Mit deiner Leiche;
15　Vielleicht, vielleicht noch eh'
An ihren Hufen
Das Eisen los wird,
Das ich blitzen sehe!

EDUARD MÖRIKE

(1804–1875)

Tanne (*f.*) pine tree　**wo** = irgendwo　**Strauch** (*m.*) = Busch
erlesen = erwählt　**wurzeln** take root　**Rößlein** = Pferdchen
weiden graze　**munter** = lebhaft　**schrittweis** at a walk
Leiche (*f.*) corpse　**Eisen** = Hufeisen

Fragen zum Nachdenken

1. Warum hat dieses Gedicht zwei Strophen?

2. Welches Thema beherrscht die erste Strophe, welches die zweite?

3. Wie sind die Themen aufeinander bezogen? Werden sie noch innerhalb der einzelnen Strophen aufeinander bezogen?

4. Wie würden Sie das Thema des ganzen Gedichts formulieren?

5. Durch welche vier Bilder gewinnt das Thema Gestalt?

6. Mit welchem Bild in „Auf ein altes Bild" sind diese Bilder am engsten verwandt?

7. Ist dies ein symbolisches Gedicht in demselben Sinne wie „Auf ein altes Bild"? Erklären Sie!

8. Ist dies ein religiöses Gedicht? Erklären Sie!

9. Was, außer dem christlichen Thema selbst, macht „Auf ein altes Bild" zu einem religiösen Gedicht?

10. Erklären Sie, wie es kommt, daß in V. 13 nicht nur die Pferde *schrittweis* gehen, sondern auch der Rhythmus!

11. Warum, meinen Sie, heißt die Überschrift dieses Gedichts „*Denk es, o Seele!*" anstatt „*Ein Tännlein grünet wo*"?

Z u r   B e a c h t u n g. *Wegen seiner Schwierigkeit mag es wohl ratsam sein, diesen Abschnitt erst später aufzugeben, vielleicht ganz am Ende des Kollegs.*

12

HÄLFTE DES LEBENS

Mit gelben Birnen hänget
Und voll mit wilden Rosen
Das Land in den See,
Ihr holden Schwäne,
5 Und trunken von Küssen
Tunkt ihr das Haupt
Ins heilignüchterne Wasser.[1]

Weh mir, wo nehm' ich, wenn
Es Winter ist, die Blumen, und wo
10 Den Sonnenschein,
Und Schatten der Erde?
Die Mauern stehn
Sprachlos und kalt, im Winde
Klirren die Fahnen.

FRIEDRICH HÖLDERLIN

(1770–1843)

[1] *Zur Syntax der ersten Strophe. Das Land* (V. 3) ist Subjekt von *hänget* (V. 1); also: *hänget . . . das Land in den See.* Es ist ein Land *voll mit gelben Birnen* und *wilden Rosen; voll* bezieht sich auf das erste sowohl als auf das zweite *mit.* Das Verb *hänget* hat auch eine doppelte Funktion. Man sagt von einem Baum, er hängt voll mit Obst, von einem Rosenstrauch, er hängt voll mit Rosen. Also besagt der erste Satz: das Land, dessen Bäume voll mit Birnen und dessen Sträucher voll mit Rosen *behängt* sind, *hängt* in den See. *Ihr holden Schwäne* ist im Vokativ; der Dichter spricht zu den Schwänen.

Birne (*f.*) pear   **ihr . . . Schwäne** *vocative*   **hold** gracious, lovely, beautiful, beloved   **tunkt = taucht**   **heilignüchtern** sacredly sober   **klirren** rattle, clatter   **Fahnen = Wetterfahnen** (weather vanes)

„Hälfte des Lebens" schrieb Hölderlin, als er ungefähr 33 Jahre alt war. Er starb erst 40 Jahre später, aber die letzten 35 Jahre seines Lebens dämmerte er in hoffnungslosem Wahnsinn hin. Von unserem Standpunkt aus muß also das Gedicht wie eine Prophetie von des Dichters eigenem Schicksal erscheinen, was es in der Tat ist. Ob es aber für den Dichter selber auch diese Bedeutung hatte, ist nicht festzustellen. Wahr ist, daß Hölderlin schon zur Zeit der Abfassung des Gedichts Anfälle von Wahnsin erlitten hatte. Wie dem auch sein mag, müssen wir, um zu einem näheren Verständnis des Gedichts zu gelangen, in erster Linie das Gedicht selbst befragen. Die Biographie des Dichters kann uns nur wenig helfen.[1]

Jeder Leser sieht sofort, daß in diesen zwei Strophen zwei entgegengesetzte Welten uns entgegentreten. Die erste zeigt das Leben der Natur in seliger Einheit, die zweite das des Menschen in trostloser Ausgeschlossenheit. Die erste bringt ein Bild spätsommerlicher (oder frühherbstlicher) Reife und Erfülltheit, die zweite eine Vision winterlichen Entbehrens. In der ersten Strophe scheint die Welt voller Sinn zu sein, in der zweiten ist der Sinn verloren gegangen. Doch sieht man auch schon hier, daß die beiden Strophen nicht ohne Zusammenhang einander gegenüber stehen: Spätsommer (Herbst) deutet auf Winter, eine Zeit der Erfüllung enthält schon den Gedanken des Untergangs in sich. So geht die zweite Strophe nicht nur als Gegensatz, sondern auch als natürliche Notwendigkeit aus der ersten hervor.

Der Wortlaut der zweiten Strophe ist seltsam, befremdend. Was kann der Dichter mit seiner verzweifelten Frage meinen: Wo *nehm'* ich, wenn es Winter ist, die Blumen, den Sonnenschein und den Schatten? Das Gedicht gibt keine Antwort auf diese Frage; es kann nur auf etwas Stummes, Kaltes und auf ein sinnloses Geräusch hinweisen. Das Ich bleibt von allem ausgeschlossen, was in der ersten Strophe in solcher Überfülle da war. In der Syntax zeigt sich dies, indem zwischen

---

[1] Unsere Interpretation verdankt dem Aufsatz von Fritz Strich, „Dichtung und Sprache" in: *Der Dichter und die Zeit*, Bern, 1947, 59*ff*., manche Anregungen.

---

hindämmern "pass one's days in a half-conscious state" **Wahnsinn** (*m.*) madness **feststellen** determine **Abfassung** composition **Anfall** (*m.*) attack **selig** blessed **entbehren** be deprived, be in want **befremdend** puzzling, consternating

dem Verb (*nehm'*) und dessen Objekt (*Blumen, Sonnenschein, Schatten*) ein Riß entsteht, der von *Winter* gefüllt ist:[1]

> Weh mir, wo nehm' ich, *wenn*
> *Es Winter ist*, die Blumen, *und wo* [*wenn es Winter ist*]
> Den Sonnenschein
> Und Schatten der Erde?

Aber wozu will der Dichter diese Dinge *nehmen?* Bemerken wir, daß die erwähnten Dinge gleichsam die Elemente darstellen, woraus eine Landschaft besteht. An und für sich aber sind sie keine Landschaft – sie müßten erst dazu ‚gemacht' werden. Alles, was in der zweiten Strophe als ‚gemacht' erscheint, sind die kalten, sprachlosen Mauern und die klirrenden Wetterfahnen; mit anderen Worten, Unorganisches, von Menschenhand Gemachtes. Der Dichter, der Poet, ist aber der ‚Macher'. Das eben bedeutet sein Name (Grk. *poiētēs*). Er ‚macht' eine zweite, bedeutungsvolle Welt, indem er die Dinge dieser Welt ‚nimmt' und sie sinnvoll ordnet. Seine trostlose Frage könnte also bedeuten: Wo soll ich, der Dichter, *wenn es Winter ist*, die Dinge hernehmen, aus denen ich eine Welt ‚mache'? Im *Winter* finde ich keinen Zugang mehr zu den Dingen der Natur. In diesem Fall würde *Winter* vielmehr einen seelischen Zustand bedeuten, als eine Jahreszeit. *Winter* wäre dann einem Versiegen der dichterischen Kraft gleich. Für den Dichter ist dieser Zustand die Hölle und deren Kälte ein Zeichen der Gottesferne.

Die erste Strophe dagegen zeigt eine wunderbar ‚gemachte' Landschaft, wo alles auf alles Bezug nimmt und in schöner Harmonie ineinander „hängt". Dieses Ordnen und Verbinden der Elemente, dieses Leiten des Auges des Zuschauers von einem zum anderen, ist eben ‚Machen', *poiēsis*. Durch Ordnen der Dinge, die er aus dieser Welt ‚nimmt', stiftet der Dichter einen Sinn.

In der ersten Strophe ist eine große Fülle und Erfülltheit der Natur auf ihren Höhepunkt gelangt; länger kann sie sich nicht halten, nur

---

[1] Diesen Hinweis entnehmen wir dem Artikel von E. M. Wilkinson, "Group-work in the Interpretation of a Poem by Hölderlin," *German Life & Letters*, vol. 17 (1950–1951), 253*f*.

Riß (*m.*) gap **versiegen** dry up **Gottesferne** (*f.*) = **Ausgeschlossenheit von dem Göttlichen** **Bezug nehmen auf** refer to, have relevance to
leiten guide, lead **stiften** = **begründen** **gelangen** attain

Untergang bleibt ihr übrig. Wir haben schon darauf hingewiesen, daß der in der Erfülltheit selbst enthaltene Gedanke des Untergangs den Zusammenhang zwischen der Herbst-Strophe und der Winter-Strophe begründet. Doch möchten wir nun fragen, ob nicht das, was in der ersten Strophe selbst gestaltet wird, nicht eine Vorwegnahme des Untergangs ist, vielleicht sogar schon Untergang? Ist es der Untergang der bis zur äußersten Reife gelangten Natur durch sich selbst?

Das Land, von Früchten und Blumen voll, hängt in den See, die Schwäne *trunken von Küssen*, also bis zum Überfluß des Lebens voll, tauchen ins Wasser. Genau in der Mitte der Strophe, zwischen den drei Zeilen, die vom Land sprechen, und den drei, die vom Wasser sprechen, schweben die auf dem Wasser schwimmenden Schwäne. Sie vermitteln zwischen diesen zwei Bereichen, zwischen Land und Wasser. Irgendwie muß es auf sie und ihre Handlung, das Tunken des Haupts ins Wasser, ankommen – ihre zentrale Stellung scheint es zu verlangen.

In diesem Kosmos ist der Mensch nur *implicite* gegenwärtig, aber gegenwärtig ist er doch. Denn wer sonst redet die Schwäne an, nennt sie hold, nennt die Birnen gelb, die Rosen wild, das Wasser heilignüchtern? Zwei dieser Beiwörter sind bloß beschreibend (*gelb*, *wild*), die zwei anderen aber (*hold*, *heilignüchtern*) drücken ein Werturteil aus, das natürlich auch ein Gefühlsurteil ist. Erst durch den Menschen gewinnt die Schöpfung Sinn, indem er sie durch sein Gefühl zum zweiten Mal ‚macht'. Das Gestalten dieses Gefühls ist eben *poiēsis*, Dichtung, Dichten.

Es ist zweifellos, daß das Bild der Schwäne, die der Dichter *hold* nennt, wie auch das des Wassers, das er *heilignüchtern* nennt, hochsymbolisch ist. Was ist aber der Symbolismus? Mit absoluter Sicherheit können wir es nicht sagen.

Schwäne, das weiß man, sind nicht irgendwelche Vögel, sie sind ganz besondere. In der Dichtung stellen sie den Typus der Grazie und der Makellosigkeit dar. Auch haben sie ihren eigenen Mythos. Erstens sind sie dem Apoll, dem Gott der Musik und der Poesie, heilig. Zweitens sollen sie kurz vor ihrem Tode ein letztes Lied singen (oder zum

---

der in der . . . Gedanke the idea contained in fullfilment itself
Vorwegnahme anticipation   **schweben** hang, be suspended
vermitteln establish contact   **Bereich** (*m.*) realm   **Beiwort** (*n.*) adjective
Werturteil (*n.*) value judgment   **Schöpfung** (divine) creation
Makellosigkeit faultlessness

erstenmal singen), und dann ins Wasser versinken, um nie wieder gesehen zu werden. In einem Gedicht von Eichendorff heißt es:

> *Bevor er in die blaue Flut gesunken,*
> *Träumt noch der Schwan und singet todestrunken . . .*

Dieses letzte Lied, der „Schwanengesang", ist Ausdruck der Erfülltheit des Lebens und zugleich Bejahung des Todes, eben w e i l das Leben erfüllt ist. Wegen seiner Beziehung zum Gott der Musik und wegen der Fabel von seinem Singen ist der Schwan ein bekanntes Emblem für den Dichter; Shakespeare z.B. nennt man „the swan of Avon". Spielt dieser traditionelle Schwanensymbolismus eine Rolle in unserem Gedicht? Dafür spricht, daß Hölderlines Schwäne *trunken von Küssen* sind, was nur bedeuten kann, daß sie bis zum Überfluß vom Leben erfüllt sind (und deshalb dem Untergang nahe), genau wie die anderen Dinge in der ersten Strophe.[1] Es heißt aber nicht, daß diese Schwäne singen und sie *tunken* das Haupt nur ins Wasser, es sieht nicht aus, als wollten sie darin versinken. Doch spricht etwas anderes für ihre traditionelle Bedeutung, nämlich daß der Dichter sie mit solcher Ergriffenheit anredet: *I h r h o l d e n Schwäne . . .* Er scheint sich fast mit ihnen, mit seinem eigenen Symbol, zu identifizieren. Letzten Endes muß man aber wohl die Frage nach dem Symbolismus der Schwäne in der Schwebe lassen.

Sicher muß auch dem Wasser, vielleicht sogar in einem noch höheren Grad als den Schwänen, eine symbolische Bedeutung zukommen. Offenbar handelt es sich hier nicht bloß um Wasser als solches. Dies anzunehmen, verbietet uns das Beiwort *heilignüchtern*. Daß *nüchtern* in Beziehung zu *trunken* steht, liegt auf der Hand. Wie ist es aber mit *heilig?* Wann und wo ist Wasser heilig u n d nüchtern? Und bedeutet *heilignüchtern* zugleich „heiligend und ernüchternd"? Möglicherweise soll man hier an die Bedeutung des Wassers bei der Taufe denken, wo es zugleich Tod und Wiedergeburt versinnbildlicht. Durch die Taufe stirbt man – im Sinnbild – als Sünder und wird als Erlöster neu ge-

---

[1] Auch in einem anderen Gedicht von Hölderlin stehen Schwäne in Beziehung zu vollkommener Liebe: in „Menons Klagen um Diotima" liest man: „Aber wir, zufrieden gesellt, *wie die liebenden Schwäne . . .*"

Bejahung affirmation   **Ergriffenheit** emotion   **in der Schwebe lassen**
leave unresolved   **liegt auf der Hand** is obvious   **Taufe** (*f.*) baptism
Sünder (*m.*) sinner   **Erlöster** one who has been redeemed

boren.[1] Hier kann natürlich keine Rede von Sünde sein, es wäre aber gewiß vorstellbar, daß die Schwäne eine rituelle Handlung andeuten sollen, indem sie das Haupt ins Wasser tauchen, eine Handlung, die Heiligung und Ernüchterung der Lebenserfülltheit („Trunkenheit") versinnbildlicht.[2] Auf der Ebene der Natur bekäme dann diese Handlung einen ganz natürlichen Sinn, nämlich den des Naturzyklus. Aber auch wenn ritueller Tod und rituelle Wiedergeburt (wie wir es hier gedeutet haben) auch auf den Naturzyklus hinweist, so kann dies doch kaum die letzte und einzige Erklärung sein.

Selbstverständlich spiegelt sich die sinnvolle Ordnung (der Kosmos) der ersten Strophe in der Form. Die Sätze (vielmehr Satzteile, denn es ist nur e i n Satz) entfalten sich ruhig und klar; Metrum und Rhythmus sind im Einklang. Der Strophenbau ist ganz symmetrisch:

Ein Aussagesatz (drei Zeilen)
Ein Anredesatz (eine Zeile)
Ein Aussagesatz (drei Zeilen)[3]

Die Aussagesätze stellen ähnliche Vorgänge dar: das „Hängen" des Landes und das „Tunken" der Schwäne ins Wasser. Faßt man letzteres als (rituelle) Vollziehung des ersteren auf, so wird durch die Handlung der Schwäne die ‚Bedeutung' des ganzen Bildes zum Ausdruck gebracht. Durch das Ritual der Taufe wäre dann ein Untergang dargestellt, der in sich schon eine Wiedergeburt einbegreift. Im Raum Natur wäre dieses Ritual dem Zyklus der Jahreszeiten gleich; für den Menschen aber würde es einen sinnvollen bejahenden Tod und geistige

---

[1] Siehe Römer 6:3ff. [Römer Romans].

[2] *Nüchternheit* (sobriety) ist ein bei Hölderlin ungemein prägnanter Begriff. „Da, wo die Nüchternheit dich verläßt, ist die Grenze deiner Begeisterung", schrieb er, und: „Das Gefühl ist die beste Nüchternheit des Dichters, wenn es richtig und warm und klar und kräftig ist." Aus diesen Zitaten wird der Zusammenhang zwischen Emotion und Nüchternheit klar. Man vergleiche auch noch die Worte des Mystikers Philo von Alexandria, der von einer „göttlichen Trunkenheit" spricht, „die noch nüchterner ist, als die Nüchternheit selbst."

[3] Die zweite Strophe dagegen hat asymetrischen Aufbau, und am Anfang scheinen Metrum und Satzrhythmus auseinander zu streben.

Ebene (*f.*) level, plane   **Naturzyklus** (*m.*) nature cycle   **Einklang** (*m.*) = Harmonie   **sich spiegeln** be reflected   **Vorgang** (*m.*) act, process   **Vollziehung** completion   **in sich einbegreifen** include within itself

Wiedergeburt bedeuten, ganz das Gegenteil von der sinn- und hoffnungslosen Todesähnlichkeit und Gottesferne der letzten Strophe.

Zusammenfassend möchten wir folgende Deutung wagen: Die erste
Strophe stellt (im Bilde) den Untergang erfüllter Zeit dar. In diese
Zeit ist das dichterische Ich mit aufgenommen (besonders durch
seine Selbstidentifikation mit den Schwänen). Das Ich ist eins mit der
Natur in ihrem Zyklus von Tod und Wiedergeburt, erhöht aber durch
menschliches Bewußtsein diesen Zyklus auf eine mehr als nur naturver-
bundene Ebene.

In der zweiten Strophe steht das Ich außerhalb in furchtbarer
Verlorenheit; zu den Dingen der Natur findet es keinen Zugang mehr,
und dies bedeutet Unmöglichkeit des poetischen ‚Machens‘, denn woher
soll es die Dinge ‚nehmen‘, aus denen ein poetischer Kosmos ‚gemacht‘
werden kann? Das Ich ist jetzt der Sprachlosigkeit ausgeliefert. Alles
ist stumm und nichtssagend geworden. Die Welt ist sinnlos, weil der
Dichter keinen Sinn mehr stiften kann – er kann die Zeit nicht mehr
erfüllen. Dies ist die Vision der letzten Strophe.

Übung

1. Besprechen Sie die mögliche Bedeutung der Überschrift von diesem
   Gedicht.

2. Vergleichen Sie das folgende Gedicht von Hölderlin mit „Hälfte
   des Lebens" in bezug auf Gehalt und Bildlichkeit. Scheint dieses
   Gedicht unsere Deutung von „Hälfte des Lebens" zu stützen oder
   in Zweifel zu ziehen?

---

wagen venture   **ausliefern** deliver up to
in bezug auf in reference to   **stützen** support

13

AN DIE PARZEN

Nur Einen Sommer gönnt, ihr Gewaltigen!
Und einen Herbst zu reifem Gesange mir,
    Daß williger mein Herz, vom süßen
      Spiele gesättiget, dann mir sterbe.

5 Die Seele, der im Leben ihr göttlich Recht
Nicht ward, sie ruht auch drunten im Orkus nicht;
    Doch ist mir einst das Heilge, das am
      Herzen mir liegt, das Gedicht, gelungen,

Wilkommen dann, o Stille der Schattenwelt!
10 Zufrieden bin ich, wenn auch mein Saitenspiel
    Mich nicht hinab geleitet; Einmal
      Lebt ich, wie Götter, und mehr bedarfs nicht.

FRIEDRICH HÖLDERLIN

(1770–1843)

Parzen Fates (Parcae) gönnen grant ihr Gewaltigen you mighty ones (the
Fates) Spiel = Gesang sättigen satiate die Seele . . . ward "the soul that
did not receive its divine right in life" Orkus = Hades Gedicht *is in apposi-*
tion to das Heilige Schattenwelt = Orkus Saitenspiel = Leier (*Emblem des*
Dichters) geleiten = schützend begleiten und . . . nicht "and no more is
needful"

14

EINGELEGTE RUDER

Meine eingelegten Ruder triefen,
Tropfen fallen langsam in die Tiefen.

Nichts, das mich verdroß! Nichts, das mich freute!
Niederrinnt ein schmerzenloses Heute!

5 Unter mir – ach, aus dem Licht verschwunden –
Träumen schon die schönern meiner Stunden.

Aus der blauen Tiefe ruft das Gestern:
Sind im Licht noch manche meiner Schwestern?

CONRAD FERDINAND MEYER

(1825–1898)

Wie „Hälfte des Lebens" ist auch dies ein Gedicht der Balance:
Die vier ersten Zeilen sprechen vom Heute, die vier letzten vom Gestern; die vier ersten vom Oben, die vier letzten vom Unten; die vier
ersten vom Leben, die vier letzten vom Tod. Diese zwei Bereiche sind
durch zwei komplementäre Bilder symbolisch eng verbunden: in der
ersten Strophe durch die Tropfen, die von den Rudern in die Tiefe
fallen; in der letzten Strophe durch das Rufen des Gestern aus der
Tiefe nach den *Schwestern*, den noch im Lichte verweilenden Lebens-
stunden. Die zwei mittleren Strophen (VV. 3–6) sprechen dann vom
menschlichen Ich und dessen Verhältnis zum Heute und Gestern,
Leben und Tod, und zwar sind VV. 2–4 nach oben, an das Heute,
verbunden, das aber n i e d e r rinnt, während VV. 5 und 6 nach
unten, an das Gestern, verbunden sind, das aber n a c h o b e n
ruft. Ein schöneres Beispiel von Formsymbolismus wäre schwer zu
finden.

---

eingelegte Ruder oars resting in oarlocks   **triefen** drip
verdrießen (o o) vex   **verweilen** tarry

Obwohl das Gedicht ein genau ausbalanciertes System von Gegengewichten zu sein scheint, spürt man aber doch gleich, daß die eine Seite entschieden Übergewicht hat. Dies ist natürlich die Gestern- oder Todesseite. Formell ist dies daran zu sehen, daß nichts dem Triefen des Heute ins Gestern entgegensteht und auch nichts dem Rufen des Gestern aus der Tiefe. Psychologisch betrachtet ist die Balance nur eine scheinbare. Auch die physische Situation besagt dasselbe: der Ruderer hat die Ruder eingelegt und lauscht den Stimmen der Tiefe. Den Lebenskampf macht er nicht mehr mit. Das Heute geht ihn nichts mehr an, und er will davon nicht belästigt werden. Und nicht nur Verdruß, auch Freude wäre Belästigung. Er hat einen – für ihn offenbar höchst wünschenswerten – Zustand der Leidlosigkeit erreicht:

> *Nichts, das mich verdroß! Nichts, das mich freute!*
> *Niederrinnt ein s c h m e r z e n l o s e s Heute!*

Wie die von den Rudern ins Wasser fallenden Tropfen, so rinnt auch das Heute langsam ins Gestrige, in den Tod. Der Dichter bejaht dies – der Ton dieser Verse ist beinahe triumphierend. In seinen Augen ist es gut, auch von einem *schmerzlosen* Heute befreit zu sein.

Einmal zwar hat der Sprecher *schönere* Stunden erlebt, und damals erschien auch ihm das Leben wohl des Kampfes wert, doch nur ein leises *ach* deutet an, daß er diesen Stunden irgendwie nachtrauert. Sie *träumen schon* im Todesreich den Traum der Leidlosigkeit und auch der Sprecher trägt Verlangen nach diesem Reich, nach einer noch besseren Leidlosigkeit als selbst das *schmerzlose Heute.*

„Eingelegte Ruder" ist ein symbolisches Stimmungsgedicht. Die Stimmung aber ist keine flüchtige – dies läßt sich durch einen Vergleich mit anderen Dichtungen Meyers leicht belegen – sie ist Ausdruck seiner tiefsten Weltanschauung.

Übung

Vergleichen Sie Stimmung und Gehalt des folgenden Gedichts von Meyer mit „Eingelegte Ruder".

Gegenwicht (*n.*) counterbalance, counterweight   **lauschen** listen to (intently)
belästigen annoy   **bejahen** affirm
nachtrauern mourn for   **Verlangen tragen nach** long for
flüchtig fleeting   **belegen** verify

15

JETZT REDE DU!

Du warest mir ein täglich Wanderziel,
Viellieber Wald, in dumpfen Jugendtagen,
Ich hatte dir geträumten Glücks so viel
Anzuvertraun, so wahren Schmerz zu klagen.

5   Und wieder such' ich dich, du dunkler Hort,
Und deines Wipfelmeers gewaltig Rauschen –
Jetzt rede du! Ich lasse dir das Wort!
Verstummt ist Klag und Jubel. Ich will lauschen.

CONRAD FERDINAND MEYER

(1825–1898)

Wanderziel (*n.*) goal of (my) excursions   **dumpf** unclear, not clearly aware
anvertrauen confide   **Hort** (*m.*) treasure, place where treasure is stored
Wipfelmeer sea of (swaying) treetops   **verstummt = stumm geworden**
Jubel (*m.*) jubilation

GEDICHTE ZUR WEITEREN BESPRECHUNG

Die Gedichte, die wir in diesem Abschnitt bringen, werden nicht ausführlich besprochen. Statt dessen schlagen wir nur Wege vor, die Sie selbst weiter verfolgen können, um in Form und Gehalt einzudringen. Selbstverständlich sind die von uns vorgeschlagenen Wege nicht die einzigen, die man einschlagen könnte, um zu einem näheren Verständnis der Gedichte zu gelangen. Wir hoffen, es werden Ihnen auch andere Wege einfallen, wenn Sie einmal angefangen haben, über diese Gedichte nachzudenken. Das ist gerade der Zweck unserer Vorschläge: Sie zum Nachdenken anzuregen.

16

DIE TAXUSWAND

Ich stehe gern vor dir,
Du Fläche schwarz und rauh,
Du schartiges Visier
Vor meines Liebsten Brau',
5 Gern mag ich vor dir stehen,
Wie vor grundiertem Tuch,
Und drüber gleiten sehen
Den bleichen Krönungszug;

Als mein die Krone hier,
10 Von Händen, die nun kalt;
Als man gesungen mir
In Weisen, die nun alt;
Vorhang am Heiligtume,
Mein Paradiesestor,
15 Dahinter alles Blume,
Und alles Dorn davor.

Denn jenseits weiß ich sie,
Die grüne Gartenbank,
Wo ich das Leben früh
20 Mit glühen Lippen trank,
Als mich mein Haar umwallte
Noch golden wie ein Strahl,
Als noch mein Ruf erschallte,
Ein Hornstoß, durch das Tal.

Taxuswand yew hedge **Fläche** (*f.*) surface **schartiges Visier** jagged visor
Brau' = **Augenbraue** **grundiertes Tuch** primed canvas (ready to receive paint)
Krönungszug = **Hochzeitszug** [*Against the background of the hedge* (*the
'primed canvas'*) *the speaker sees a vision of a marriage procession in which she
herself is wearing the bridal crown* (*V. 9.*)] **Weisen** = **Melodien**
Vorhang (*m.*) curtain **Heiligtum** (*n.*) sanctuary **glüh** = **glühend**
umwallte = **umfloß** **erschallen** = **ertönen** **Hornstoß** horn call

25 Das zarte Efeureis,
 So Liebe pflegte dort,
 Sechs Schritte – und ich weiß,
 Ich weiß dann, daß es fort.
 So will ich immer schleichen
30 Nur an dein dunkles Tuch
 Und achtzehn Jahre streichen
 Aus meinem Lebensbuch.

 Du starrtest damals schon
 So düster treu wie heut,
35 Du, unsrer Liebe Thron
 Und Wächter manche Zeit;
 Man sagt, daß Schlaf, ein schlimmer,
 Dir aus den Nadeln raucht –
 Ach, wacher war ich nimmer,
40 Als rings von dir umhaucht!

 Nun aber bin ich matt
 Und möcht' an deinem Saum
 Vergleiten, wie ein Blatt,
 Geweht vom nächsten Baum;
45 Du lockst mich wie ein Hafen,
 Wo alle Stürme stumm:
 O, schlafen möcht' ich, schlafen,
 Bis meine Zeit herum!

ANNETTE VON DROSTE-HÜLSHOFF
(1797–1848)

Efeureis shoot of ivy (*emblem of faithfulness*) **so** = **das** **schleichen** go
stealthily **starren** be stiff, stand stiffly **düster treu** gloomily faithful
Schlaf, ein schlimmer (*the juice of the yew is supposed to be poisonous*)
Nadel (*f.*) needle **von dir umhaucht** "surrounded by your breath"
matt = **müde, schwach** **Saum** (*m.*) edge, border **wehen** blow
Hafen (*m.*) harbor **herum** = **vorbei**

„Die Taxuswand" ist ein Gedicht von einer Frau – Annette von Droste-Hülshoff nennt man Deutschlands größte Dichterin – und spricht von einem Frauenschicksal. Die Sprecherin sagt uns, wie sie vor einer Taxushecke steht und was diese Hecke ihr bedeutet, welche Gefühle und Erinnerungen die Hecke in ihr wachruft. Hinter der Taxuswand hat sie nämlich in ihrer Jugend mit dem Geliebten gesessen (*Gartenbank*), sie haben sich Treue versprochen (*Efeureis*), und sie mindestens hat gehofft, sie würden heiraten (*Krönungszug*). Aber daraus ist nichts geworden. Jetzt ist sie alt und müde und sehnt sich nach dem Tode. Dies ist die ‚Geschichte'.

Fragen zum Nachdenken

1. Auffallend ist hier, mit wie viel verschiedenen Namen die Taxuswand angerufen wird. Machen Sie eine Liste von diesen Anrufungen und erklären Sie, wie sie auf die Taxuswand passen und wie sie miteinander zusammenhängen!

2. Das Gedicht baut sich auf in sechs achtzeiligen Strophen, die deutlich zweiteilig sind:

$$a\,b\,a\,b \mid c\,d\,c\,d$$

Die Zweiteiligkeit wird unterstrichen durch den Satzbau und durch die weiblichen Reime der *c*-Zeilen in der zweiten Hälfte jeder Strophe (alle anderen Reime sind männlich).[1]

Versuchen Sie jetzt festzustellen, welche symbolischen Funktionen dieser Strophenbau haben könnte! Natürlich müssen Sie innerhalb des Rahmens des Gedichts selbst bleiben. Bloße Vermutungen, die sich nicht durch den Text stützen lassen, haben wenig Wert. Hier ist ein Beispiel, um Ihnen anfangen zu helfen: Die Zweiteiligkeit im Strophenbau weist auf den Gegensatz *davor-dahinter* hin (vor der Hecke, hinter der Hecke).

---

[1] **schlimmer-nimmer** ist ein *weiblicher* Reim; **Strahl-Tal** ist ein *männlicher*. Reime heißen auch *stumpf* (= männlich) und *klingend* (= weiblich).

Vermutung supposition

3. Es scheint möglich, daß dieses Gedicht sich nach verschiedenen inhaltlichen Gesichtspunkten einteilen läßt. Versuchen Sie eine solche Einteilung:

(*a*) Nach dem Gesichtspunkt der *Zeit*
(*b*) Nach dem Gesichtspunkt von *Wirklichkeit-Traum* (Schlaf)

Bemerken Sie, wie diese Kategorien (Gegenwart-Vergangenheit, Wirklichkeit-Traum) ständig ineinander übergehen. Wie zeigt dies das psychologische Problem der Sprecherin auf? Was ist ihr psychologisches Problem?

4. Droste-Hülshoff, obwohl sie viele Gedichte schrieb, darunter einige der eindrucksvollsten in deutscher Sprache, ist kein ausgesprochenes lyrisches Talent – im Gegenteil. Sie singt nicht, sondern sie spricht. Sie liebt es auch, zu erzählen und hat wunderbare Balladen geschrieben. Aber nie kommt es bei ihr darauf an, eine bloß spannende oder unterhaltsame Geschichte zu erzählen, sondern immer will sie uns die Geheimnisse der menschlichen Seele und die mysteriöse, unentrinnbare Weltordnung vor Augen führen.

Auch „Die Taxuswand" ist ein Sprechgedicht mit tiefem psychologischem Gehalt. Enthält es auch erzählerische Elemente? Ließe sich eine Erzählung daraus machen? Versuchen Sie eine solche Erzählung ganz allgemein zu skizzieren!

5. Ordnen Sie die folgenden Gedichte nach den Rubriken *lyrisch*, *erzählerisch*. Versuchen Sie eine Skala aufzustellen, in der die am lyrischsten Gedichte oben stehen, die am erzählerischsten unten.[1]

„Der Fischer" (Goethe)
„Ein Fichtenbaum steht einsam" (Heine)

---

[1] Bekannte Beispiele dieser Kategorien in der englischen Dichtung wären etwa:

Rein lyrisch: „Hark, hark! the lark at heaven's gate sings" (Shakespeare, *Cymbeline*)
Rein erzählerisch: „Sir Patrick Spens" (anonyme Ballade)
Zwischen lyrisch u. erzählerisch: „She dwelt among untrodden ways" (Wordsworth)

---

ständig constant   **eindrucksvoll** impressive
spannend thrilling, full of suspense   **unterhaltsam** entertaining
unentrinnbar ineluctable   **Skala** scale

„Das zerbrochene Ringlein" (Eichendorff)

„Heidenröslein" (Goethe)

„An die Parzen" (Hölderlin)

„Die Taxuswand" (Droste-Hülshoff)

„Lockung" (Eichendorff)

„Winternacht" (Keller)

„Eingelegte Ruder" (Meyer)

„Ich weiß nicht, was soll es bedeuten" (Heine)

„Denk es, o Seele!" (Mörike)

„Hälfte des Lebens" (Hölderlin)

„Waldgespräch" (Eichendorff)

„Erlkönig" (Goethe)

„Auf ein altes Bild" (Mörike)

„Jetzt rede du!" (Meyer)

17

ARCHAÏSCHER TORSO APOLLOS

Wir kannten nicht sein unerhörtes Haupt,
darin die Augenäpfel reiften. Aber
sein Torso glüht noch wie ein Kandelaber,
in dem sein Schauen, nur zurückgeschraubt,

5 sich hält und glänzt. Sonst könnte nicht der Bug
der Brust dich blenden, und im leisen Drehen
der Lenden könnte nicht ein Lächeln gehen
zu jener Mitte, die die Zeugung trug.

Sonst stünde dieser Stein entstellt und kurz
10 unter der Schultern durchsichtigem Sturz
und flimmerte nicht so wie Raubtierfelle;

und bräche nicht aus allen seinen Rändern
aus wie ein Stern: denn da ist keine Stelle,
die dich nicht sieht. Du mußt dein Leben ändern.

RAINER MARIA RILKE

(1875–1926)

---

darin = worin **Aug(en)äpfel** eyeballs **Kandelaber** (*n.*) candelabra
zurückschrauben turn down (a light) **sich hält und glänzt** *the figure of speech
is that of a turned down lamp, the gaze* (**Schauen**) *being the light*
Bug bow, curve **blenden** blind **Lenden** loins **Zeugung** organ of procreation
(**Geschlechtsteil**) **entstellt** disfigured **unter . . . Sturz = unter dem durch-
sichtigen Sturz der Schultern** (*the figure, a kind of pun, probably refers to a*
Glassturz (*or* **-stürze**), *a glass bell used to protect delicate objects from dust;
the torso seems to stand beneath the shoulders' "transparent plunge" as under
a glass bell*) **Raubtierfell** (*n.*) skin of a wild beast

„Archaïscher Torso Apollos" ist, wie Mörikes „Auf ein altes Bild",
ein Gedicht über ein Ding. Rilke hat eine ganze Reihe solcher soge-
nannten „Dinggedichte" geschrieben. In diesen Gedichten sucht er das
Wesen, die *quidditas* („Was-heit') des betreffenden Dinges zu ergründen,
indem er es intensiv anschaut und beschreibt. Die beschriebenen
Gegenstände sind sehr verschieden: es mag ein Tier, eine Blume, ein
Bettler, eine Stadt, eine Treppe, ein Turm usw. sein. Hier ist es eine
antike Statue Apollos, des Gottes der Dichtung und der Musik, dem
aber das Haupt und das Geschlechtsteil fehlen. Auf das Fehlen dieser
allerwichtigsten Teile, besonders auf das Fehlen des Hauptes, baut
sich die ‚Botschaft' des Gedichts auf. Denn trotz ihres verstümmelten
Zustandes erscheint die Figur weder *entstellt* noch *kurz*, und trotz des
Fehlen des Hauptes sieht sie uns und redet uns ernst und mahnend an.

Fragen zum Nachdenken

1. Unerläßlich für das Verständnis des Gedichts ist das Verständnis
   von der Metapher des Kandelabers. Erklären Sie so genau wie
   möglich, was diese Metapher aussagt! Warum *glüht noch* der Torso?

2. Man könnte etwas überspitzt sagen, das ganze Gedicht sei eine
   Rechtfertigung des Adjektivs *unerhört* im ersten Vers: *Wir kannten*
   nicht sein u n e r h ö r t e s Haupt . . . Wie wird der Gebrauch
   dieses Beiwortes im Laufe des Gedichts gerechtfertigt?

   Bemerken Sie, daß das ganze Gedicht wie ein Argument, fast
   wie ein Syllogismus, aufgebaut ist:

   (*a*) Aussage, noch unbegründet.

   (*b*) Begründung der Aussage durch:

      (i) einen *aber*-Satz

      (ii) einen *sonst*-Satz

      (iii) einen zweiten *sonst*-Satz

   (*c*) *Conclusio: denn*-Satz.

   (*d*) *Conclusio conclusionis:* die Summe des Ganzen wird in einer
   unwiderlegbaren Aussage ausgedrückt.

Was-heit whatness **betreffend** in question **verstümmelt** damaged
mahnen admonish **unerläßlich** indispensible **überspitzt** exaggerated, too
pointed **rechtfertigen** justify **Beiwort** = **Adjektiv**
begründen establish, confirm **unwiderlegbar** indisputable

3. Bemerken Sie die vielen Ausdrücke, die sich auf das Visuelle, auf den Gesichtssinn beziehen. Wieviele finden Sie? Gibt es eine Steigerung unter diesen Ausdrücken? Welcher Satz enthält keinen solchen Ausdruck?

Ein Kommentator (G. W. McKay) behauptet, dies sei „a poem about seeing". Was meinen Sie dazu? Kommt es hauptsächlich auf das Sehen (oder *Schauen*) an? Was bedeutet hier *Schauen?*

4. Fast immer, und sicher mit Recht, sieht man in diesem Gedicht eine Verurteilung unserer eigenen Zeit. Erklären Sie, wie das stimmen kann. (Bemerken Sie, daß es sich um eine a r c h a ï s c h e Statue handelt, dazu nur um den T o r s o einer solchen!)

5. Von einem syntaktischen Standpunkt aus erscheint das Gedicht geradezu maniert. Rilke scheint es darauf anzulegen, Satzbau und Zeilenordnung n i c h t übereinstimmen zu lassen. Den zweiten Satz läßt er sogar am Ende der zweiten Zeile anfangen und dann in der Mitte der fünften – dazu über die Strophengrenze hinaus! – enden. Können Sie dieses Verfahren vom Standpunkt der Aussage aus erklären? Stimmen Aussage und Satzbau überein, spiegelt eins das andere wider? (Erklären Sie genau!)

Wegen des Widerstreits zwischen Satzbau und Zeilenordnung kommt Enjambement ungemein häufig vor. Versuchen Sie dessen Wirkung zu erklären, besonders in VV. 2 und 3, 4 und 5, 5 und 6, 12 und 13. Hat der Dichter vielleicht seine Sätze im Widerstreit mit der Zeilenordnung aufgebaut, d a m i t das Enjambement zur Wirkung kommt?

6. Auffallend ist hier der Gebrauch von Alliteration, wie z.B. in dem Vers: Sonst stünde dieser Stein entstellt und kurz . . . Finden Sie andere Beispiele! Machte sich dieser Zug auch in anderen Gedichten, die wir studiert haben, besonders bemerkbar?

Alliteration oder ‚Stabreim' war ein altes Mittel der Bindung in germanischer Dichtung noch vor der Einführung vom Endreim. Können Sie vielleicht andeuten, was der Dichter hier durch dieses Mittel zu erreichen versucht?

Steigerung intensification **Verurteilung** condemnation
stimmen be true, agree **maniert** mannered
es auf etwas anlegen aim at something **Grenze** boundary
Widerstreit (*m.*) disagreement **ungemein** exceptional **häufig** frequent

7. „Archaïscher Torso Apollos" ist ein Sonett. Wie Sie wahrscheinlich wissen, besteht ein Sonett aus 14 Zeilen, die sich in zwei Vierzeiler (Quartette) und zwei Dreizeiler (Terzette) gliedern. Zwischen dem zweiten Quartett und dem ersten Terzett erfolgt ein kräftiger Einschnitt. Die Reimordnung ist nicht streng festgelegt. Im klassischen (italienischen) Sonett findet man *abba abba cdc dcd*, doch tauchen schon früh Variationen auf. (Wie ist hier die Reimordnung?) Bei allen Variationen bleibt aber eins bewährt: die ganze Gedichtform strebt einer Spitze, einem pointierten Schluß zu.

Das Sonett ist keine ausgesprochene lyrische Form: weder schlichtes Singen noch hymnischer Enthusiasmus ist dem Sonett gemäß. „Der Ton", sagt Wolfgang Kayser, „wird eher reflektierend sein oder deutend-verheißend, wobei immer eine klare Führung und Fügung dem Formwillen am besten entspricht."[1]

Wie ist es nun mit diesem Sonett? Erfüllt es die ‚Gesetze' der Gattung, so wie sie oben angedeutet sind? Erklären Sie!

---

[1] Wolfgang Kayser, *Kleine deutsche Versschule*, zw., verb. Aufl., Bern, 1946, 61. In der Charakterisierung des Sonetts sind wir Kayser fast wörtlich gefolgt.

---

gliedern *see* **das Glied** (part, member)   **bewähren** retain, preserve
zustreben tend toward, strive to attain
schlicht = **einfach**   **gemäß** suitable to   **verheißen** = **versprechen**
Fügung disposition (of parts)   **entsprechen** correspond to, be suitable for
Gattung = **Genre** (literary type *or* category)

18

TODESFUGE

Schwarze Milch der Frühe wir trinken sie abends
wir trinken sie mittags und morgens wir trinken sie nachts
wir trinken und trinken
wir schaufeln ein Grab in den Lüften da liegt man nicht eng
5 Ein Mann wohnt im Haus der spielt mit den Schlangen
           der schreibt
der schreibt wenn es dunkelt nach Deutschland dein
           goldenes Haar Margarete
er schreibt es und tritt vor das Haus und es blitzen die
           Sterne er pfeift seine Rüden herbei
er pfeift seine Juden hervor läßt schaufeln ein Grab in der Erde
er befiehlt uns spielt auf nun zum Tanz

10 Schwarze Milch der Frühe wir trinken dich nachts
wir trinken dich morgens und mittags wir trinken dich abends
wir trinken und trinken
Ein Mann wohnt im Haus und spielt mit den Schlangen
           der schreibt
der schreibt wenn es dunkelt nach Deutschland dein
           goldenes Haar Margarete
15 Dein aschenes Haar Sulamith wir schaufeln ein Grab in
           den Lüften da liegt man nicht eng
Er ruft stecht tiefer ins Erdreich ihr einen ihr andern
           singet und spielt
er greift nach dem Eisen im Gurt er schwingts seine
           Augen sind blau
stecht tiefer die Spaten ihr einen ihr andern spielt weiter
           zum Tanz auf

Fuge (*f.*) fugue **schaufeln** shovel **Schlange** (*f.*) snake **Rüden = Hetzhunde**
(hunting dogs, fierce dogs) **aschen** ashen **Sulamith** *jüdischer Mädchenname*
stechen thrust, stick **Erdreich = Erde** **Gurt** (*m.*) belt **Spaten** (*m.*) spade

Schwarze Milch der Frühe wir trinken dich nachts
20 wir trinken dich mittags und morgens wir trinken dich abends
wir trinken und trinken
ein Mann wohnt im Haus dein goldenes Haar Margarete
dein aschenes Haar Sulamith er spielt mit den Schlangen

Er ruft spielt süßer den Tod der Tod ist ein Meister aus
Deutschland
25 er ruft streicht dunkler die Geigen dann steigt ihr als
Rauch in die Luft
dann habt ihr ein Grab in den Wolken da liegt man
nicht eng

Schwarze Milch der Frühe wir trinken dich nachts
wir trinken dich mittags der Tod ist ein Meister aus
Deutschland
wir trinken dich abends und morgens wir trinken und
trinken
30 der Tod ist ein Meister aus Deutschland sein Auge ist blau
er trifft dich mit bleierner Kugel er trifft dich genau
ein Mann wohnt im Haus dein goldenes Haar Margarete
er hetzt seine Rüden auf uns er schenkt uns ein Grab in
der Luft
er spielt mit Schlangen und träumet der Tod ist ein
Meister aus Deutschland
35 dein goldenes Haar Margarete
dein aschenes Haar Sulamith

PAUL CELAN

(1920–   )[1]

---

[1] Paul Celan ist das Pseudonym von Paul Antschel, einem Juden deutscher Sprache aus Rumänien (Czernowitz in der Bukowina). 1942 wurden seine Eltern in ein Nazi Vernichtungslager deportiert. Seit 1948 lebt Celan in Paris.

Geige = **Violine**   **bleiern** leaden   **Kugel** (*f.*) bullet   **hetzen auf** sick on (*dog*)

Celans „Todesfuge", ein Gedicht über die Leiden und Greuel der Konzentrationslager, nimmt einen beispielhaften Platz in der deutschen Lyrik der Gegenwart ein. Nicht nur die Thematik, die den furchtbaren Ereignissen der jüngsten Vergangenheit entstammt, ist neu, sondern auch die Ausdrucksweise.

Fragen zum Nachdenken

1. Das erste, was dem Leser auffällt, ist das Fehlen aller Interpunktion. Bald aber entdeckt man, daß man sie gar nicht braucht, ja daß das Gedicht sich sogar besser liest ohne Satzzeichen. Man braucht es nur laut zu lesen, dann stimmt alles von selbst. Zum Teil liegt dies an der einfachen Redeweise. Die meisten der hier verwendeten Ausdrücke sind Münzen des alltäglichen Sprachverkehrs und verursachen daher beim Lesen keine Schwierigkeiten: die Satzzeichen können wir leicht selber ergänzen.

   Versucht man aber passende Satzzeichen tatsächlich einzusetzen, so entdeckt man, daß das Gedicht irgendwie nicht mehr ‚stimmt'. Versuchen Sie, die fehlende Interpunktion der ersten neun Zeilen zu ergänzen!

2. Sie werden eben entdeckt haben, daß Satzzeichen nicht nur als Mittel der B i n d u n g von Sätzen und Satzteilen fungieren, sondern auch als Mittel der T r e n n u n g. Können Sie jetzt, anhand von Ihrem Versuch, die fehlenden Satzzeichen zu ergänzen, sagen (oder mindestens vermuten), warum der Dichter keine Interpunktion verwendet?

3. Trotz der leichtverständlichen alltäglichen Sprache enthält das Gedicht eine Anzahl von sehr paradoxen Zusammenstellungen: *Schwarze Milch der Frühe wir trinken sie abends; ein Grab in den Lüften | in den Wolken; ein Mann wohnt im Haus und spielt mit den Schlangen; das Herbeipfeifen von Hunden u n d Juden; das*

Greuel (*m.*) horror **beispielhaft** paradigmatic **Satzzeichen = Interpunktion**
Münze (*f.*) coin *here* counter **Sprachverkehr** (*m.*) linguistic intercourse
verursachen cause **ergänzen** supply
fungieren function **vermuten** suppose, suspect, guess

Aufspielen zum Tanz beim Schaufeln des eigenen Grabes; das Blitzen der Sterne bei dieser grausamen Unmenschlichkeit.

Das *Grab in den Lüften* bezieht sich natürlich auf die berüchtigten Krematorien in den Konzentrationslagern. Auch sind die anderen Zusammenstellungen leicht genug zu verstehen – außer der von der *schwarzen Milch*. In diesem Oxymoron sind alle anderen paradoxen Zumsammenstellungen gleichsam zusammengefaßt. Was will der Dichter mit dieser *schwarzen Milch*, die Tag und Nacht getrunken werden muß, sagen? Was ist überhaupt der Sinn dieser (unsinnigen) Zusammenstellungen?

4. Das Gedicht hat einen sehr ausgeprägten Rhythmus, der haupt- sächlich von dem vorwiegend daktylischen Metrum (–∪∪) her- rührt:

$$\overset{\cup \quad - \quad \cup \ \cup \ - \ \cup \ \cup \quad - \quad \cup \ \ \cup}{\textit{der schreibt wenn es dunkelt nach Deutschland dein}}$$

$$\overset{- \ \cup\cup \ - \quad \cup \ \cup\,-\,\cup}{\textit{goldenes Haar Margarete}}$$

Was ist hier die Wirkung dieses Rhythmus? Ein Kritiker hat ge- meint, die Daktylen rufen den Eindruck des Strömenden und Fließenden hervor, was seinerseits eine Widerspiegelung von dem „unaufhörlichen Ablauf von Reproduktionen des halbwachen Bewußtseins" ist. Mit seinen grausamen Erinnerungen kann der Sprecher nicht fertig werden; sie fluten ihm immer wieder hin und her halbunterschwellig im Bewußtsein.[1] Was meinen Sie dazu?

5. In diesem Gedicht wird die musikalische Kunstform der Fuge auf die Sprache übertragen und zum tragenden Kompositionsprinzip gemacht. Die Fuge ist die durchbildetste Form des polyphonischen Stils. In ihr sind alle Stimmen gleich berechtigt und gleich bedacht.

---

[1] Vgl. Clemens Heselhaus, *Deutsche Lyrik der Moderne*, Düsseldorf, 1961, 432*f*.

---

grausam horrible   berüchtigt notorious, infamous
Oxymoron (*n.*) = eine (scheinbar) widersprüchliche Zusammenstellung
ausgeprägt = ausgesprochen   vorwiegend mainly   herrühren von = herstam-
men von   seinerseits for its part   Ablauf (*m.*) course, running off
fluten flood, move like water   halbunterschwellig half subliminally
durchbilden develop thoroughly (*music*)   berechtigt justified
bedacht *here* given a voice ("thought of")

Der Name stammt vom lateinischen *fuga* („Flucht"), weil das Thema, das die verschiedenen Stimmen durchläuft, bald hier, bald dort die Aufmerksamkeit auf sich zieht und so immer gleichsam zu ‚fliehen' scheint.

Zeigen Sie, wie Celans Gedicht auch in diesem technischen Sinne eine Fuge ist! (Was ist das alle Stimmen durchlaufende Thema? Sind alle Stimmen „gleich berechtigt und gleich bedacht"?)

19

UND WAS BEKAM DES SOLDATEN WEIB?

Und was bekam des Soldaten Weib
Aus der alten Hauptstadt Prag?
Aus Prag bekam sie die Stöckelschuh.
Einen Gruß und dazu die Stöckelschuh
5 Das bekam sie aus der Stadt Prag.

Und was bekam des Soldaten Weib
Aus Warschau am Weichselstrand?
Aus Warschau bekam sie das leinene Hemd
So bunt und so fremd, ein polnisches Hemd
10 Das bekam sie vom Weichselstrand.

Und was bekam des Soldaten Weib
Aus Oslo über dem Sund?
Aus Oslo bekam sie das Kräglein aus Pelz.
Hoffentlich gefällt's, das Kräglein aus Pelz
15 Das bekam sie aus Oslo am Sund.

Und was bekam des Soldaten Weib
Aus dem reichen Rotterdam?
Aus Rotterdam bekam sie den Hut.
Und er steht ihr gut, der holländische Hut.
20 Den bekam sie aus Rotterdam.

Und was bekam des Soldaten Weib
Aus Brüssel im belgischen Land?
Aus Brüssel bekam sie die seltenen Spitzen.
Ach, das zu besitzen, so seltene Spitzen
25 Sie bekam sie aus belgischem Land.

Stöckelschuh(e) high-heeled shoes **Warschau** Warsaw **Weichselstrand** shores
of the Vistula **leinen** linen **Sund** (*m.*) sound **Kräglein** *see* **Kragen** (*m.*)
collar **er steht ihr gut** "it looks nice on her" **Spitzen** lace

Und was bekam des Soldaten Weib
Aus der Lichterstadt Paris?
Aus Paris bekam sie das seidene Kleid.
Zu der Nachbarin Neid das seidene Kleid
30   Das bekam sie aus Paris.

Und was bekam des Soldaten Weib
Aus dem libyschen Tripolis?
Aus Tripolis bekam sie das Kettchen.
Das Amulettchen am kupfernen Kettchen
35   Das bekam sie aus Tripolis.

Und was bekam des Soldaten Weib
Aus dem weiten Russenland?
Aus Rußland bekam sie den Witwenschleier
Zu der Totenfeier den Witwenschleier,
40   Das bekam sie aus Russenland.

BERTOLT BRECHT

(1898–1956)

Bei diesem Gedicht kann man kaum darüber im Zweifel sein, was
gemeint ist. In sehr herausfordernder Weise hat Brecht einmal gesagt:
„Die letzte Epoche [gemeint ist die Zeit von etwa 1890 bis 1920] . . .
stellte Gedichte her, deren Inhalt aus hübschen Bildern und aromatischen Wörtern bestand. Es gibt darunter gewisse Glückstreffer, Dinge,
die man weder singen noch jemand zur Stärkung überreichen kann und
die doch etwas sind. Aber von einigen solcher Ausnahmen abgesehen,

---

Lichterstadt = *ville des lumières* = city of lights
seiden silken   **libyisch** Lybian   **Kettchen** little chain, necklace
Witwenschleier widow's veil   **Totenfeier** memorial service
herausfordernd provocative   **herstellen** produce   **Glückstreffer** (*m.*) lucky hit
zur Stärkung überreichen "give someone to buck them up"
von einigen . . . abgesehen apart from a few exceptions of this kind

werden solche ‚rein' lyrischen Produkte überschäzt. Sie entfernen sich einfach zu weit von der ursprünglichen Geste der Mitteilung eines Gedankens oder einer auch für Fremde vorteilhaften Empfindung."[1] Brecht will hier einer ‚Gebrauchspoesie' das Wort reden – einer Dichtung (Lieder, Songs, Balladen und dergleichen), die man ja wohl singen kann oder jemand im täglichen Lebenskampf „zur Stärkung überreichen". Der feierliche Ton ist bei ihm verpönt. Ein Gedicht, das man nicht vorlesen kann mit der Zigarre im Mund, hat schon etwas Falsches.

Fragen zum Nachdenken

1. Diese Ballade ließe sich gewiß gut singen – zur Guitarre etwa. Wem, meinen Sie, könnte sie „zur Stärkung" überreicht werden?

2. Die „ursprüngliche Geste der Mitteilung" ist auch im diesem Gedicht sehr evident; Brechts Lyrik ist überhaupt oft ganz ‚gestisch' angelegt. Erklären Sie, wie dieser Zug sich hier zeigt!

3. Verpönt ist bei Brecht der feierliche Gebrauch von „hübschen Bildern und aromatischen Wörtern". Hat er selbst welche in diesem Gedicht gebraucht? Wie würden Sie dessen Wortschatz charakterisieren? Wie ist es mit dem Satzbau?

4. Bemerken Sie die Anwendung von Binnenreim im dritten und vierten Vers jeder Strophe. Was ist die Wirkung dieses Reims beim e r s t e n Lesen? Beim z w e i t e n? Warum?

5. Erklären Sie, wie das Gedicht so etwas wie eine kurzgefaßte militärische Geschichte Deutschlands im Zweiten Weltkrieg darstellt!

6. Selbstverständlich übt hier der Dichter Kritik an der Gesinnung des durchschnittlichen Deutschen. Wie kommt diese Kritik zum Ausdruck? Wer ist im weiteren Sinne „des Soldaten Weib"?

[1] Zitiert nach C. Heselhaus, *Deutsche Lyrik der Moderne*, Düsseldorf, 1961, 325.

überschätzt overrated **ursprüngliche Geste der Mitteilung** natural form ("gesture") of communication **vorteilhaft** advantageous **einer Sache das Wort reden** = **etwas verteidigen** *oder* **vertreten feierlich** solemn
verpönt taboo **Zug** *here* trait, characteristic
Binnenreim internal rhyme **kurzgefaßt** brief **Kritik üben an** = **kritisieren**
Gesinnung view(s), attitude **durchschnittlich** average

20

KURZ VOR DEM REGEN

Gleich wird es regnen, nimm die Wäsche herein!
Auf der Leine die Klammern schwanken.
Ein Wolkenschatten verdunkelt den Stein.
Die Dächer sind voller Gedanken.

5 Sie sind gedacht in Ziegel und Schiefer,
gekalkten Kaminen und beizendem Rauch.
Mein Auge horcht den bestürzenden Worten, –
o lautloser Spruch aus dem feurigen Strauch![1]

Ein Schluchzen beginnt in mir aufzusteigen.
10 Die wandernden Schatten ändern den Stein.
Ein Windstoß zerrt an den flatternden Hemden.
Gleich regnet es. Hol die Wäsche herein!

GÜNTER EICH

(1907–   )

Für einen Dichter kann alles in der Welt, selbst eine Wäsche auf
der Leine, tiefst bedeutungsvoll sein. Das zeigt dieses ungemein gelungene Gedicht von Günter Eich. Das Faszinierende daran, ist zu

---

[1] Vergleichen Sie 2 Mose 3:2 ff. [2 Mose = Exodus]: „Und der Engel des Herrn
erschien ihm in einer feurigen Flamme aus dem Busch. Und [Mose] sah, daß der
Busch . . . brannte und ward doch nicht verzehrt (consumed); [er geht hin, um zu
sehen, wie das sein kann]. Da aber der Herr sah, daß er hinging, zu sehen, rief
ihm Gott aus dem Busch und sprach: Mose, Mose! Er antwortete: Hier bin ich."

Wäsche washing **Klammer** (*f.*) clothes pin **schwanken** sway
Ziegel (*m.*) tile **Schiefer** (*m.*) slate **gekalkt** calcimined **Kamin** (*m.*) chimney
beizend acrid **bestürzend** dismaying **Strauch** (*m.*) = **Busch** (*m.*)
schluchzen sob **zerren** pull, jerk **gelungen** successful

sehen, wie das Alltägliche, das naturalistisch Genrehafte (eine vor einem aufziehenden Regen im Winde flatternde Wäsche) im Laufe von 12 Zeilen eine geradezu metaphysische Bedeutung annimmt, die Bezug hat auf die ganze Schöpfung oder mindestens auf das Schicksal des Menschen innerhalb derselben. Und doch bezieht sich das Gedicht nur einmal direkt auf das Übernatürliche, auf die Unendlichkeit. Am Ende sind wir ebenso bestürzt wie der Sprecher dieser Zeilen: die Aufforderung, die Wäsche hereinzuholen, hat am Schluß eine ganz andere Bedeutung als am Anfang.

Fragen zum Nachdenken

1. In welchem Bild wird direkter Bezug auf die Unendlichkeit genommen?

2. Versuchen Sie aufzuzeigen, wie der Dichter strophenweise die metaphysische Bedeutung des Physischen heraufbeschwört! Wie ist das Gedicht thematisch strukturiert? Wo kommt zuerst etwas mehr als bloß Naturalistisches hinein? Wie wird dies weiter ausgeführt?

3. Bemerken Sie solche Wendungen wie: *Die Dächer denken | Mein Auge horcht | lautloser Spruch.* Was will der Dichter mit solchen Wendungen sagen?

---

das Genrehafte *term used in art criticism to characterize paintings of everyday objects and activities* **heraufbeschwören** conjure up

21

middle class blues

wir können nicht klagen.
wir sind satt.
wir essen.

das gras wächst,
5 das sozialprodukt,
der fingernagel,
die vergangenheit.

die straßen sind leer.
die abschlüsse sind perfekt.
10 die sirenen schweigen.
das geht vorüber.
wir essen.

die toten haben ihr testament gemacht.
der regen hat nachgelassen.
15 der krieg ist noch nicht erklärt.
das hat keine eile.
wir essen.

wir essen das gras.
wir essen das sozialprodukt.
20 wir essen die fingernägel.
wir essen die vergangenheit.
wir haben nichts zu verheimlichen.

die verhältnisse sind geordnet.
wir haben nichts zu versäumen.
25 wir haben nichts zu sagen.
wir haben.

---

wir sind satt "our bellies are full" **Abschlüsse** locks **Sirenen** air raid alarms
verheimlichen hide, be secretive about **Verhältnisse** affairs
wir haben nichts zu versäumen "we won't miss anything"

die uhr ist aufgezogen.
die teller sind abgespült.
der letzte autobus fährt vorbei.
30   er ist leer.
wir können nicht klagen.

worauf warten wir noch?

HANS MAGNUS ENZENSBERGER

(1929–   )

Enzensbergers „middle class blues" ist ein gutes Beispiel der „unter-kühlten" Poesie der jüngeren deutschen Dichtergeneration, deren Werk, vom Ausland stark beeinflußt – besonders von der modernen amerikansichen Dichtung – sich oft sehr experimentell ausnimmt. Enzensbergers poetische Ahnen werden sich aber auch wohl unter deutschen Dichtern finden lassen: men denke etwa an Brecht und Heine!

„Ich rede von dem, was auf den Nägeln ‚brennt'," sagt der Dichter selbst, „wie von einem Beliebigen, das mich nichts anginge. Ein manipulierter Temperatursturz ist die Folge: Ironie, Mehrdeutigkeit, kalter Humor, kontrollierter Unterdruck sind die poetischen Kühlmit-tel. Das Produkt wird, sobald es mit der kochenden Realität in Berührung kommt, zischend explodieren . . ."[1]

Das Gedicht, das wir vor uns haben, ist (oder scheint) so verblüffend einfach wie erfolgreich. Wer hätte gedacht, es ließe sich auf diese

---

[1] Zitiert nach *Lyrik unserer Jahrhundertmitte*, ausgew. u. interpretiert von W. R. Fuchs, München, 1965, 34.

---

aufgezogen wound **abgespült** washed **unterkühlt** "deep freeze"
beeinflussen influence **sich ausnehmen** = **wirken**
der Ahne, -n, -n ancestor **es brennt mir auf den Nägeln**
"it is of intense interest to me" **beliebig** any (you like)
Temperatursturz (*m.*) drop in temperature **Unterdruck** (*m.*) below normal pressure **Kühlmittel** (*n.*) means of refrigeration **kochend** boiling
zischen hiss **verblüffend** dismaying, amazing **erfolgreich** successful

anscheinend so unpoetische Weise ein wirkliches Gedicht, ein zwingendes sprachliches Gebilde machen, das tatsächlich „explodiert", sobald wir es mit unserer täglichen Realität in Kontakt bringen?

„Middle class blues" besteht fast ausschließlich aus aneinander gereihten Gemeinplätzen: Der Dichter redet von dem, was ihm auf den Nägeln brennt, wie von einem Beliebigen, das ihn nichts anginge. Dabei gebraucht er Phrasen aus der täglichen Umgangssprache, abgeschliffene Worte, die man so von sich gibt, ohne weiter darüber nachzudenken. Es ist, als würden Teile, die schon von irgendeiner Fabrik her fertig geliefert werden, nebeneinander ‚montiert', bis man das ‚Ding', den ‚Gegenstand' selber fertig aufgebaut hat. W i r aber, die moderne Gesellschaft, sind die Fabrik, welche diese Teile herstellt. Das Gedicht ist nicht nur ü b e r uns, es ist auch v o n uns. „How are you?" „Oh we're fine, just fine." *Wir können nicht klagen.* Mitten unter solchen Gemeinplätzen kommen aber auch Phrasen vor, die gewiß nicht zum täglichen Umgang gehören und die sehr beunruhigend wirken: *wir essen das gras | die fingernägel | die vergangenheit.* Es ist, als hätte hier die Fabrik falsche Teile geliefert.

Fragen zum Nachdenken

1. Daß alles gar nicht so „fine" ist, ist natürlich die Aussage des Gedichts. Wie wird dies zum Ausdruck gebracht? Warum heißt das Gedicht ein „blues", wenn alles so schön in Ordnung ist?

2. Die zwei Hauptmetaphern des Gedichts sind „essen" und „in Ordnung sein" (Sicherheit). Wie sind sie aufeinandergestimmt? Wie wirken sie aufeinander?

3. Als Antwort auf die Frage, mit der das Gedicht schließt, würde in der beschriebenen Situation „Auf nichts" sehr gut passen. Warum wäre gerade diese Antwort so erschreckend doppeldeutig?

---

zwingend = überzeugend Gebilde (*n.*) = Struktur Gemeinplatz (*m.*) commonplace Umgangssprache (*f.*) colloquial language abgeschliffen worn out fertig liefern deliver ready for use montieren assemble herstellen manufacture, supply Umgang (*m.*) intercourse
aufeinanderstimmen attune to each other doppeldeutig ambiguous

94

4. In einem Gedicht von Brecht („Vom armen B.B.") findet man folgende Stelle. Weisen Sie auf Parallelen zu „middle class blues" hin!

Wir sind gesessen ein leichtes Geschlechte
In Häusern, die für unzerstörbare galten
(So haben wir gebaut die langen Gehäuse des Eilands Manhattan
Und die dünnen Antennen, die das Atlantische Meer unterhalten).

Von diesen Städten wird bleiben: der sie hindurchging: der Wind!
Fröhlich machet das Haus den Esser: er leert es.
Wir wissen, daß wir Vorläufige sind
Und nach uns wird kommen: nichts Nenennwertes.

Geschlecht(e) (*n.*) race   Gehäuse (*n.*) = großes Haus   unterhalten entertain (?)
vorläufig preliminary, temporary

GEDICHTE ZUR FREIEREN BESPRECHUNG

22

DER GOTT UND DIE BAJADERE

INDISCHE LEGENDE

Mahadöh, der Herr der Erde,
Kommt herab zum sechsten Mal,
Daß er unsersgleichen werde,
Mit zu fühlen Freud' und Qual.
5 Er bequemt sich, hier zu wohnen,
Läßt sich alles selbst geschehn.
Soll er strafen oder schonen,
Muß er Menschen menschlich sehn.
Und hat er die Stadt sich als Wandrer betrachtet,
10 Die Großen belauert, auf Kleine geachtet,
Verläßt er sie abends, um weiter zu gehn.

Als er nun hinausgegangen,
Wo die letzten Häuser sind,
Sieht er mit gemalten Wangen
15 Ein verlornes schönes Kind.
„Grüß' dich, Jungfrau!" – „Dank der Ehre!
Wart', ich komme gleich hinaus." –

Bajadere indisches Freudenmädchen **Mahadöh** „der große Gott" *Beiname
Siva's, eines der höchsten indischen Götter* **daß** = damit **unsersgleichen** =
einer von uns **Qual** (*f.*) torment **sich bequemen** = sich gefallen lassen
läßt ... geschehen "takes everything upon himself" **schonen** spare
belauert = heimlich beobachtet **Kind** = Mädchen **Dank der Ehre** "Thanks
for the honor!"

„Und wer bist du?" – „Bajadere,
Und dies ist der Liebe Haus."
20   Sie rührt sich, die Cymbeln zum Tanze zu schlagen;
Sie weiß sich so lieblich im Kreise zu tragen,
Sie neigt sich und biegt sich und reicht ihm den Strauß.

Schmeichelnd zieht sie ihn zur Schwelle,
Lebhaft ihn ins Haus hinein.
25   „Schöner Fremdling, lampenhelle
Soll sogleich die Hütte sein.
Bist du müd', ich will dich laben,
Lindern deiner Füße Schmerz.
Was du willst, das sollst du haben,
30   Ruhe, Freuden oder Scherz."
Sie lindert geschäftig geheuchelte Leiden.
Der Göttliche lächelt; er siehet mit Freuden
Durch tiefes Verderben ein menschliches Herz.

Und er fordert Sklavendienste;
35   Immer heitrer wird sie nur,
Und des Mädchens frühe Künste
Werden nach und nach Natur.
Und so stellet auf die Blüte
Bald und bald die Frucht sich ein;
40   Ist Gehorsam im Gemüte,
Wird nicht fern die Liebe sein.
Aber sie schärfer und schärfer zu prüfen,
Wählet der Kenner der Höhen und Tiefen
Lust und Entsetzen und grimmige Pein.

---

reicht . . . Strauß (= Blumenstrauß) *as the final gesture of her dance*
schmeicheln flatter **Schwelle** (*f.*) threshold **laben** = **erfrischen, beleben**
lindern ease **heucheln** pretend **Verderben** corruption **fordern** = **verlangen**
heiter = **froh** **frühe Künste** = **vorherige Künste** (previous wiles)
sich auf etwas einstellen = **auf etwas folgen** **Gehorsam** (*m.*) obedience
Gemüt (*n.*) mind and heart, disposition **Entsetzen** = **Schrecken**

45   Und er küßt die bunten Wangen,
Und sie fühlt der Liebe Qual,
Und das Mädchen steht gefangen,
Und sie weint zum ersten Mal;
Sinkt zu seinen Füßen nieder,
50   Nicht um Wollust noch Gewinst,
Ach, und die gelenken Glieder,
Sie versagen allen Dienst.
Und so zu des Lagers vergnüglicher Feier
Bereiten den dunklen, behaglichen Schleier
55   Die nächtlichen Stunden, das schöne Gespinst.

Spät entschlummert unter Scherzen,
Früh erwacht nach kurzer Rast,
Findet sie an ihrem Herzen
Tot den vielgeliebten Gast.
60   Schreiend stürzt sie auf ihn nieder;
Aber nicht erweckt sie ihn,
Und man trägt die starren Glieder
Bald zur Flammengrube hin.
Sie höret die Priester, die Totengesänge,
65   Sie raset und rennet und teilet die Menge.
„Wer bist du? was drängt zu der Grube dich hin?"

Bei der Bahre stürzt sie nieder,
Ihr Geschrei durchdringt die Luft:
„Meinen Gatten will ich wieder!
70   Und ich such' ihn in der Gruft.
Soll zur Asche mir zerfallen
Dieser Glieder Götterpracht?

---

bunt = **gemalt** **Wange** (*f.*) cheek **um** = **wegen** **Wollust** (*f.*) lust, voluptuousness **Gewinst** (*m.*) = **Gewinn** (*m.*) **gelenk** supple **versagen** = **weigern**
(refuse) **des Lagers . . . Feier** "the pleasurable rites of the bed"
behaglich = **angenehm, gemütlich** **Gespinst** web, tissue (*in apposition to*
Schleier) **Scherz** = **Spiel** **starr** = **steif** **Flammengrube** pyre
Totengesänge funeral chants **rasen** rage **drängen** urge, impel
Bahre bier **Gruft** = **Grab** **Götterpracht** (*f.*) divine splendor

Mein! er war es, mein vor allen!
Ach, nur Eine süße Nacht!"
75 Es singen die Priester: „Wir tragen die Alten,
Nach langem Ermatten und spätem Erkalten,
Wir tragen die Jugend, noch eh' sie's gedacht.

Höre deiner Priester Lehre:
Dieser war dein Gatte nicht.
80 Lebst du doch als Bajadere,
Und so hast du keine Pflicht.
Nur dem Körper folgt der Schatten
In das stille Totenreich;
Nur die Gattin folgt dem Gatten:
85 Das ist Pflicht und Ruhm zugleich.
Ertöne, Drommete, zu heiliger Klage!
O nehmet, ihr Götter! die Zierde der Tage,
O nehmet den Jüngling in Flammen zu euch!"

So das Chor, das ohn' Erbarmen
90 Mehret ihres Herzens Not;
Und mit ausgestreckten Armen
Springt sie in den heißen Tod.
Doch der Götterjüngling hebet
Aus der Flamme sich empor,
95 Und in seinen Armen schwebet
Die Geliebte mit hervor.
Es freut sich die Gottheit der reuigen Sünder;
Unsterbliche heben verlorene Kinder
Mit feurigen Armen zum Himmel empor.

JOHANN WOLFGANG VON GOETHE

(1749–1832)

---

ermatten = schwach u. müde werden   lebst du doch "after all you live"
keine Pflicht *reference to Hindu custom of* "*suttee*" (*see dictionary!*)
Drommete = Trompete   Zierde ornament   Erbarmen pity   reuig repentant

„[Goethe] gibt [dieser Legende] eine Gestalt, die sie zum herrlichen Beispiel des Glaubens an das dem Menschen eingeborene Verlangen zum Guten und Echten macht. Die Vereinigung mit dem Gott weckt in der Verlorenen den verborgenen Funken, die Fähigkeit zu wahrer Liebe; . . . Wie sie die Treue der Gattin im freiwilligen Opfertod bewährt, hebt der Gott die Geläuterte zu sich empor . . . Schöner hat Goethe kaum je in Versen erzählt. . . . Die Liebesvereinigung von Gott und Geschöpf, von Ich und All ist hier verherrlicht als das Mysterium, das den Kern aller großen Erlösungs-Religionen bildet."[1]

Fragen zum Nachdenken

1. Das Versmaß (= Metrum) dieses Gedichts ist nicht nur stilistisch, sondern auch symbolisch bedeutsam. Wir finden in jeder Strophe zuerst acht Zeilen mit Trochäen:[2]

> _ ∪ _ ∪ _ ∪ _ ∪
> *Mahadöh, der Herr der Erde,*
> _ ∪_ ∪ _ ∪ _
> *Kommt herab zum sechsten Mal,* . . .

Auf die Trochäen folgt dann ein ganz anderes Versmaß: Daktylen mit Auftakt:[3]

> ∪ _ ∪ ∪ _ ∪ ∪ _ ∪
> *Und hat er die Stadt sich als Wandrer betrachtet,*
> ∪ _ ∪ ∪_ ∪ ∪ _ ∪ ∪_ ∪
> *Die Großen belauert, auf Kleine geachtet,* . . .

Mit anderen Worten, das Metrum wechselt (oder verwandelt sich) auf sehr auffallende Weise. Was spiegelt sich *inhaltlich* in diesem Wechsel (oder Verwandlung)? (Genau erklären!)

---

[1] Karl Viëtor, *Goethe*, Bern, 1949, 158.

[2] Trochees: _ ∪ _ ∪. (Die vorletzte Strophe hat neun trochäische Verse.)

[3] Dactyls with anacrusis (preceded by unstressed syllable): (∪) _ ∪ ∪ _ ∪ ∪.

Funken (*m.*) spark **Opfertod** (*m.*) sacrificial death **bewähren** prove true to, stand the test **läutern** purify **Geschöpf** (*n.*) creature, created being **verherrlichen** glorify **erlösen** redeem

2. Überprüfen Sie das Reimschema. Was wird ausgedrückt durch die Verbindung (in jeder Strophe) des elften Verses mit dem achten? Warum wäre es z.B. nicht ebenso expressiv, wenn in den drei letzten Versen ein Dreireim vorkäme?

3. Finden Sie in dem Reim dasselbe Prinzip wie im Versmaß? Erklären Sie!

23

AUF DEM RHEIN

Ein Fischer saß im Kahne,
Ihm war das Herz so schwer,
Sein Lieb war ihm gestorben,
Das glaubt' er nimmermehr.

5 Und bis die Sternlein blinken,
Und bis zum Mondenschein
Harrt er, sein Lieb zu fahren
Wohl auf dem tiefen Rhein.

Da kömmt sie bleich geschlichen
10 Und schwebet in den Kahn
Und schwanket in den Knien.
Hat nur ein Hemdlein an.

Sie schimmern auf den Wellen
Hinab in tiefer Ruh,
15 Da zittert sie und wanket:
„Feinsliebchen, frierest du?

„Dein Hemdlein spielt im Winde,
Das Schifflein treibt so schnell,
Hüll dich in meinen Mantel,
20 Die Nacht ist kühl und hell!"

Stumm streckt sie nach den Bergen
Die weißen Arme aus
Und lächelt, da der Vollmond
Aus Wolken blickt heraus;

Kahn (*m.*) = **Boot** (*n.*)   **harren** = **geduldig warten**   **treiben** drift

25 Und nickt den alten Türmen
Und will den Sternenschein
Mit ihren schlanken Händlein
Erfassen in dem Rhein.

„Oh! halte dich doch stille,
30 Herzallerliebstes Gut,
Dein Hemdlein spielt im Winde
Und reißt dich in die Flut!"

Da fliegen große Städte
An ihrem Kahn vorbei,
35 Und in den Städten klingen
Wohl Glocken mancherlei.

Da kniet das Mägdlein nieder
Und faltet seine Händ,
Aus seinen hellen Augen
40 Ein tiefes Feuer brennt.

„Feinsliebchen, bet hübsch stille,
Schwank nicht so hin und her,
Der Kahn möcht uns versinken,
Der Wirbel reißt so sehr!"

45 In einem Nonnenkloster,
Da singen Stimmen fein,
Und aus dem Kirchenfenster
Bricht her der Kerzenschein.

Da singt Feinslieb gar helle
50 Die Metten in dem Kahn
Und sieht dabei mit Tränen
Den Fischerknaben an.

Gut = Schatz Mägdlein = Mädchen bet hübsch stille pray quietly
der Kahn möcht uns versinken "the boat might sink (on us)"
Wirbel current, eddy Nonnenkloster (*n.*) convent Mette (*f.*) mass

Da singt der Knab gar traurig
Die Metten in dem Kahn
55   Und sieht dazu Feinsliebchen
Mit stummen Blicken an.

Und rot und immer röter
Wird nun die tiefe Flut,
Und bleich und immer bleicher
60   Feinsliebchen werden tut.

Der Mond ist schon zerronnen,
Kein Sternlein mehr zu sehn,
Und auch dem lieben Mägdlein
Die Augen schon vergehn.

65   „Lieb Mägdlein, guten Morgen!
Lieb Mägdlein, gute Nacht!
Warum willst du nun schlafen,
Da schon der Tag erwacht?"

Die Türme blinken sonnig,
70   Es rauscht der grüne Wald,
In wildentbrannten Weisen
Der Vogelsang erschallt.

Da will er sie erwecken,
Daß sie die Freude hör,
75   Er schaut zu ihr hinüber
Und findet sie nicht mehr.

Ein Schwälblein strich vorüber
Und netzte seine Brust;
Woher, wohin geflogen,
80   Das hat kein Mensch gewußt.

---

werden tut = wird   in wildentbrannten Weisen "in sudden
bursts of wild melody"   erschallen ring out
Schwälblein = kleine Schwalbe swallow   strich = flog   netzen wet

Der Knabe liegt im Kahne,
Läßt alles Rudern sein
Und treibet weiter, weiter
Bis in die See hinein.

85 Ich schwamm im Meeresschiffe
Aus fremder Welt einher
Und dacht an Lieb und Leben
Und sehnte mich so sehr.

Ein Schwälbchen flog vorüber,
90 Der Kahn schwamm still einher,
Der Fischer sang dies Liedchen,
Als ob ich's selber wär.

CLEMENS BRENTANO

(1778–1842)

Brentanos „Auf dem Rhein" ist eine der vielen Gestaltungen des Motivs von „dem geisterhaften Geliebten" („the ghostly lover"). Die bekannteste Formulierung im Englischen ist wohl das Volkslied „Sweet William's Ghost". Deutsche Romantiker und Vorromantiker haben dieses Motiv öfters behandelt, so z.B. Bürger („Lenore"), Goethe („Die Braut von Korinth"), Eichendorff („Die Hochzeitsnacht"), Mörike („Lieb' in den Tod"). Der Handlungskern dieses uralten Motivs ist immer das Erscheinen eines – oder einer – toten Geliebten bei einem Lebenden, den der Tote dann mit ins Totenreich fortnimmt. Der Grundton der Gedichte, die dieses Thema behandeln, ist ein echt romantisches Mischgefühl: Lust und Grauen.

---

läßt alles Rudern sein stops rowing altogether   **einherschwimmen** drift along
Handlungskern = das Wesentliche der Handlung   **Grauen** horror

Fragen zum Nachdenken

1. Hier ist es die Liebste, an deren Tod der Fischerknabe nicht hat glauben können (Strophe 1), die dem Geliebten erscheint. Wieso wissen wir, daß sie eine Tote ist? Wissen wir es sogleich? Nimmt sie den Geliebten auch mit ins Totenreich fort? (Worauf stützen Sie Ihre Meinung?)

2. Wenn der Strom (der Rhein) hier eine Metapher für die Zeit – das unaufhaltsam vorüberfließende Leben – ist, wofür muß wohl das Meer am Ende des Gedichts eine Metapher sein?

3. Ein bekannter Kritiker – Emil Staiger – hat von diesem Gedicht behauptet, daß es Brentano nur „in bescheidenem Maß" gelungen sei, „ein Ganzes zu fassen und das Einzelne anzuordnen vom Ganzen aus". Mit anderen Worten, Staiger ist der Meinung, das Gedicht habe keine Mitte, um die es organisiert wäre, man wisse eigentlich nicht, wohin noch woher, es gebe kein Ziel, keine Richtung, im Grunde sogar keine ‚Geschichte' in dieser Ballade, weil alles nur vereinzelt und ohne Zusammenhang dasteht, ohne Vergangenheit und ohne Zukunft. Inwiefern finden Sie diese Kritik berechtigt? Können Sie vielleicht den berühmten Kritiker „in bescheidenem Maß" widerlegen? Finden Sie hier z.B. eine ‚Geschichte'? Was ist sie?

4. In der fünftletzten Strophe (VV. 73*ff.*) will der Fischer seine Liebste erwecken „Und findet sie nicht mehr". In der folgenden Strophe hören wir von einer Schwalbe, die im Vorüberfliegen dem Fischer die Brust netzt. „Woher, wohin geflogen, / Das hat kein Mensch gewußt." Was ist wohl die Bedeutung der Schwalbe?

5. Brentano war ein großer Liebhaber des Volkslieds. Zusammen mit seinem Schwager Achim von Arnim hat er eine berühmte Sammlung von deutschen Volksliedern, *Des Knaben Wunderhorn*, herausgegeben. „Auf dem Rhein" ist durchaus im Volkston gehalten. In manchen Volksliedern sagt uns der Sänger am Schluß, woher er sein Lied hat, manchmal auch wer er ist. Insofern ist auch der

---

stützen support, base **in bescheidenem Maß** to a modest degree
Schwager (*m.*) brother-in-law **herausgegeben** = **ediert**

Schluß unseres Gedichts eine Nachahmung der Volksliedmanier. Haben aber die zwei letzten Strophen vielleicht noch mehr zu bedeuten? Beachten Sie besonders die Situation in der vorletzten Strophe, dann das Wiedererscheinen einer Schwalbe und die allerletzte Zeile des Gedichts!

6. Das Gedicht hat 23 Strophen. Wie sind sie aufgebaut? Können Sie ein Schema aufstellen? Was für eine Handlung enthalten die mittleren Strophen (10–14)? Wieviele Strophen gehen diesen voraus? Wieviele folgen? Welche Tageszeit finden wir am Anfang? Welche am Ende? Von wessen Gefühlen ist am Anfang die Rede? Und am Ende? Kehrt das Gedicht in sich selbst zurück oder zerflattert es ins Unbestimmte? Kann man hier von ‚Rundung‘ sprechen? Wie hängt Ihre Antwort auf diese Frage mit Ihrer Antwort auf Frage 3 (und Staigers Kritik) zusammen?

Nachahmung imitation

24

BELSATZAR

Die Mitternacht zog näher schon;
In stummer Ruh' lag Babylon.

Nur oben in des Königs Schloß,
Da flackert's, da lärmt des Königs Troß.

5 Dort oben in dem Königssaal
Belsatzar hielt sein Königsmahl.

Die Knechte saßen in schimmernden Reihn
Und leerten die Becher mit funkelndem Wein.

Es klirrten die Becher, es jauchzten die Knecht';
10 So klang es dem störrigen Könige recht.

Des Königs Wangen leuchten Glut;
Im Wein erwuchs ihm kecker Mut.

Und blindlings reißt der Mut ihn fort;
Und er lästert die Gottheit mit sündigem Wort.

15 Und er brüstet sich frech und lästert wild;
Die Knechtenschar ihm Beifall brüllt.

Der König rief mit stolzem Blick;
Der Diener eilt und kehrt zurück.

Er trug viel gülden Gerät auf dem Haupt;
20 Das war aus dem Tempel Jehovas geraubt.

Belsatzar *see* Daniel 5 **flackern** flare **Troß** (*m.*) retinue **funkeln** sparkle
Knechte *gemeint sind die Großen des Königreiches, „die Gewaltigen und*
Hauptleute" **klirren** = **ein helles metallisches Geräusch geben**
jauchzen = **schreien und jubeln** **störrig** = **eigensinnig, trotzig**
Wange (*f.*) cheek **keck** bold, brash **fortreißen** carry away
lästern blaspheme **sich brüsten** brag **brüllen** bellow **Gerät** (*n.*) utensil(s)

Und der König ergriff mit frevler Hand
Einen heiligen Becher, gefüllt bis am Rand.

Und er leert ihn hastig bis auf den Grund
Und rufet laut mit schäumendem Mund:

25 „Jehova! dir künd' ich auf ewig Hohn –
Ich bin der König von Babylon!"

Doch kaum das grause Wort verklang,
Dem König ward's heimlich im Busen bang.

Das gellende Lachen verstummte zumal;
30 Es wurde leichenstill im Saal.

Und sieh! und sieh! an weißer Wand,
Da kam's hervor, wie Menschenhand;

Und schrieb, und schrieb an weißer Wand
Buchstaben von Feuer und schrieb und schwand.

35 Der König stieren Blicks da saß,
Mit schlotternden Knien und totenblaß.

Die Knechtenschar saß kalt durchgraut,
Und saß gar still, gab keinen Laut.

Die Magier kamen, doch keiner verstand
40 Zu deuten die Flammenschrift and der Wand.

Belsatzar ward aber in selbiger Nacht
Von seinen Knechten umgebracht.

HEINRICH HEINE

(1797–1856)

---

frevel impious, sacrilegious   schäumen foam   künden proclaim
Hohn (*m.*) scorn   das grause Wort = das schreckliche Wort
verklang = war verklungen died away   bang = ängstlich
gellend = durchdringend   verstummen fall silent   zumal = auf einmal
leichenstill *see* die Leiche corpse   stieren Blicks "with glassy gaze"
schlottern = heftig zittern   kalt durchgraut "frozen with horror"
umbringen = töten, ermorden

Übung

Lesen Sie Daniel, Kapitel 5, und vergleichen Sie den biblischen Bericht mit Heines Gedicht. Versuchen Sie festzustellen, was Heine ausgelassen (bezw. hinzugefügt) hat und warum. Ist die ‚Botschaft' von Heines Ballade, trotz ihrer Kürze, wesentlich anders als die der biblischen Erzählung?

25

DES SÄNGERS FLUCH

Es stand in alten Zeiten ein Schloß so hoch und hehr,
Weit glänzt' es über die Lande bis an das blaue Meer;
Und rings von duft'gen Gärten ein blütenreicher Kranz,
Drin sprangen frische Brunnen im Regenbogenglanz.

5　Dort saß ein stolzer König, an Land und Siegen reich,
Er saß auf seinem Throne so finster und so bleich;
Denn was er sinnt, ist Schrecken, und was er blickt, ist Wut,
Und was er spricht, ist Geißel, und was er schreibt, ist Blut.

Einst zog nach diesem Schlosse ein edles Sängerpaar,
10　Der ein' in goldnen Locken, der andre grau von Haar;
Der Alte mit der Harfe, der saß auf schmuckem Roß,
Es schritt ihm frisch zur Seite der blühende Genoß.

Der Alte sprach zum Jungen: „Nun sei bereit, mein Sohn!
Denk unsrer tiefsten Lieder, stimm an den vollsten Ton!
15　Nimm alle Kraft zusammen, die Lust und auch den Schmerz!
Es gilt uns heut zu rühren des Königs steinern Herz."

Schon stehn die beiden Sänger im hohen Säulensaal,
Und auf dem Throne sitzen der König und sein Gemahl;
Der König furchtbar prächtig wie blut'ger Nordlichtschein,
20　Die Königin süß und milde, als blickte Vollmond drein.

Fluch (*m.*) curse　Schloß (*n.*) = Palast (*m.*)　hoch und hehr high and mighty
duftig fragrant　Kranz (*m.*) crown, ring　Brunnen (*m.*) = Fontäne (*f.*)
finster = lichtlos, dunkel *here* drohend　bleich = farblos　sinnen = denken
Wut (*f.*) = Zorn (*m.*)　Geißel (*f.*) lash, scourge　schmuck = hübsch
Genosse (*m.*) = Kamerad　rühren = bewegen　Säulensaal (*m.*) columned hall
Gemahl = Gattin, Ehefrau　prächtig = glänzend, herrlich

Da schlug der Greis die Saiten, er schlug sie wundervoll,
Daß reicher, immer reicher der Klang zum Ohre schwoll;
Dann strömte himmlisch helle des Jünglings Stimme vor,
Des Alten Sang dazwischen wie dumpfer Geisterchor.

25 Sie singen von Lenz und Liebe, von sel'ger goldner Zeit,
Von Freiheit, Männerwürde, von Treu und Heiligkeit;
Sie singen von allem Süßen, was Menschenbrust durchbebt,
Sie singen von allem Hohen, was Menschenherz erhebt.

Die Höflingsschar im Kreise verlernet jeden Spott,
30 Des Königs trotz'ge Krieger, sie beugen sich vor Gott;
Die Königin, zerflossen in Wehmut und in Lust,
Sie wirft den Sängern nieder die Rose von ihrer Brust.

„Ihr habt mein Volk verführet, verlockt ihr nun mein Weib?"
Der König schreit es wütend, er bebt am ganzen Leib;
35 Er wirft sein Schwert, das blitzend des Jünglings Brust
                                     durchdringt,
Draus statt der goldnen Lieder ein Blutstrahl hochauf springt.

Und wie von Sturm zerstoben ist all der Hörer Schwarm,
Der Jüngling hat verröchelt in seines Meisters Arm;
Der schlägt um ihn den Mantel und setzt ihn auf das Roß,
40 Er bind't ihn aufrecht feste, verläßt mit ihm das Schloß.

Doch vor dem hohen Tore, da hält der Sängergreis,
Da faßt er seine Harfe, sie aller Harfen Preis;
An einer Marmorsäule, da hat er sie zerschellt,
Dann ruft er, daß es schaurig durch Schloß und Garten gellt:

Greis = alter **Mann** **Saite** (*f.*) string **dumpf** hollow-sounding
Geisterchor (*m.*) ghostly chorus **Lenz** (*m.*) = **Frühling** (*m.*)
selig blessed **Männerwürde** (*f.*) manly dignity **Treue** (*f.*) loyalty
durchbeben throb through **Höflingsschar** throng of courtiers
verlernen = **vergessen** **Spott** = **Hohn** **trotzig** defiant **Wehmut** (*f.*) =
sanfte Trauer sadness **verführen** = **auf falsche Pfade führen**
verlocken tempt **zerstoben** = **auseinander getrieben**
verröcheln "breathe one's last" **aller Harfen Preis** = **die beste aller Harfen**
zerschellen = **zerbrechen** **schaurig** blood-curdling **gellen** = **scharf ertönen**

45 „Weh euch, ihr stolzen Hallen! Nie töne süßer Klang
Durch eure Räume wieder, nie Saite noch Gesang,
Nein, Seufzer nur und Stöhnen und scheuer Sklavenschritt,
Bis euch zu Schutt und Moder der Rachegeist zertritt!

Weh euch, ihr duft'gen Gärten im holden Maienlicht!
50 Euch zeig' ich dieses Toten entstelltes Angesicht,
Daß ihr darob verdorret, daß jeder Quell versiegt,
Daß ihr in künft'gen Tagen versteint, verödet liegt.

Weh dir, verruchter Mörder, du Fluch des Sängertums!
Umsonst sei all dein Ringen nach Kränzen blut'gen Ruhms!
55 Dein Name sei vergessen, in ew'ge Nacht getaucht,
Sei wie ein letztes Röcheln in leere Luft verhaucht!"

Der Alte hat's gerufen, der Himmel hat's gehört:
Die Mauern liegen nieder, die Hallen sind zerstört;
Nur eine hohe Säule zeugt von verschwundner Pracht,
60 Auch diese, schon geborsten, kann stürzen über Nacht.

Und rings statt duft'ger Gärten ein ödes Heideland,
Kein Baum verstreuet Schatten, kein Quell durchdringt den
Sand.
Des Königs Namen meldet kein Lied, kein Heldenbuch;
Versunken und vergessen! Das ist des Sängers Fluch.

LUDWIG UHLAND

(1787–1862)

---

weh euch! woe unto you! nie töne = es soll nie tönen stöhnen groan
Schutt und Moder = Ruinen und Asche Rachegeist spirit of vengeance
Maienlicht light of May entstellt disfigured daß . . . verdorret =
damit ihr (= die Gärten) deswegen dürr (withered) werdet
versiegen = trocken werden veröden = zur Wüste (desert) werden
verrucht infamous umsonst = erfloglos sei may be, let be
ringen = kämpfen getaucht = versenkt
verhauchen = ausatmen, wegatmen zeugen bear witness
Pracht (f.) splendor öd(e) desert melden announce, tell of

Fragen zum Nachdenken

1. „Des Sängers Fluch" hat 16 Strophen. Um den Aufbau zu veranschaulichen, könnte man sie so einteilen:

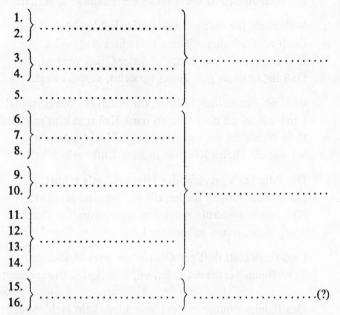

Tragen Sie auf die gebrochenen Linien passende Bezeichnungen für die betreffende Handlung oder Zustandsschilderung ein. Sechs bis acht z.B. sind offenbar „Der Gesang". (Möglicherweise können Sie eine andere Einteilung finden, die den Sachverhalt noch besser veranschaulicht. Wollen Sie es versuchen?)

2. Offensichtlich hat das Gedicht einen dramatischen Aufbau. Was würden Sie als den Höhepunkt bezeichnen?

3. Beachten Sie die Zeitformen. Können Sie eine Erklärung für den Gebrauch der verschiedenen Tempora finden?

---

veranschaulichen make evident   **betreffend** in question   **Sachverhalt** facts of the case, situation   **Tempora** = **Zeitformen**

4. Die Strophenform nennt man die „Nibelungenstrophe", weil das bekannteste deutsche Heldenepos, das *Nibelungenlied* (um 1200 niedergeschrieben), darin verfaßt ist. Jede Zeile hat eine Zäsur nach der dritten Hebung:

Es stand in alten Zeiten || *ein Schloß so hoch und hehr*

Die Zweiheit, die in der verhältnismäßig kleinen Einheit der Zeile zu beobachten ist, beherrscht mehr oder weniger das ganze Gedicht, und zwar nicht nur formell, sondern auch in Hinsicht auf die Bilder und Ideen: ein alter und ein junger Sänger, ein furchtbarer König und eine milde Königin usw. Suchen Sie weitere Beispiele der Zweiteilung oder des Kontrastes (formelle sowohl als bildliche), und zeigen Sie wie dieses Prinzip sich auch auf die durch die Figuren dargestellten Ideen erstreckt.

5. Wie könnte man die ‚Moral' dieses Gedichts am besten formulieren?

   (*a*) Daß Könige (d.h. Regierungen) Künstler („Sänger") nicht beleidigen, sondern schützen sollen, weil diese Repräsentanten der Kultur und des Fortschritts sind?

   (*b*) Daß Sänger wahrhafte Propheten sind?

   (*c*) Daß Sänger (Künstler) sich nicht in die Politik einmischen sollen?

   (*d*) Daß die Tyrannei sich selbst bestraft?

   (*e*) Daß die Kulturwelt zur geschichtslosen Wüste werden muß, wo die Macht des Geistes durch brutale Gewalt vernichtet wird?

   (*f*) Oder noch anders?

Heldenepos heroic epic   **Zäsur = Schnitt**

26

DIE BRÜCK AM TAY

(28. DEZEMBER 1879)

When shall we three meet again?
Macbeth

„Wann treffen wir drei wieder zusamm'?"
  „Um die siebente Stund, am Brückendamm."
  „Am Mittelpfeiler."
           „Ich lösche die Flamm."
„Ich mit."
    „Ich komme von Norden her."
  „Und ich von Süden."
5   „Und ich vom Meer."
„Hei, das gibt einen Ringelreihn,
Und die Brücke muß in den Grund hinein."
„Und der Zug, der in die Brücke tritt
Um die siebente Stund?"
  „Ei, der muß mit."
10 „Muß mit."
               „Tand, Tand
Ist das Gebilde von Menschenhand."

Auf der Norderseite das Brückenhaus –
Alle Fenster sehen nach Süden aus,
Und die Brücknersleut ohne Rast und Ruh
15 Und in Bangen sehen nach Süden zu,

Tay *Fluß in Schottland*   **Pfeiler** (*m.*) pillar   **löschen = ausmachen (Licht)**
Ringelreihn (*m.*) ring-around-the-rosy   **Tand** (*m.*) bauble, frivolous thing
Gebilde structure   **Brücknersleute** bridge keeper's family   **Bangen = Angst**

Sehen und warten, ob nicht ein Licht
Übers Wasser hin „Ich komme" spricht,
„Ich komme, trotz Nacht und Sturmesflug,
Ich, der Edinburger Zug."

20 Und der Brückner jetzt: „Ich seh einen Schein
Am anderen Ufer. Das muß er sein.
Nun, Mutter, weg mit dem bangen Traum,
Unser Johnie kommt und will seinen Baum,
Und was noch am Baume von Lichtern ist,
25 Zünd alles an wie zum Heiligen Christ,
Der will heuer z w e i m a l mit uns sein –
Und in elf Minuten ist er herein."

Und es war der Zug. Am Süderturm
Keucht er vorbei jetzt gegen den Sturm,
30 Und Johnie spricht: „Die Brücke noch!
Aber was tut es, wir zwingen es doch.
Ein fester Kessel, ein doppelter Dampf,
Die bleiben Sieger in solchem Kampf,
Und wie's auch rast und ringt und rennt,
35 Wir kriegen es unter, das Element.

Und unser Stolz ist unsre Brück;
Ich lache, denk ich an früher zurück,
An all den Jammer und all die Not
Mit dem elend alten Schifferboot;
40 Wie manche liebe Christfestnacht
Hab ich im Fährhaus zugebracht
Und sah unsrer Fenster lichten Schein
Und zählte und konnte nicht drüben sein."

Ufer (n.) shore **wie zum Heiligen Christ** "as for Christmas Eve" **heuer =
dieses Jahr keuchen** = schwer atmen **was tut es?** = was macht es aus?
Kessel (m.) boiler **Dampf** (m.) steam **rasen** rage **ringen** = kämpfen
unterkriegen = besiegen **elend** = miserabel **Fährhaus** ferry shed

Auf der Norderseite das Brückenhaus –
45 Alle Fenster sehen nach Süden aus,
Und die Brücknersleut ohne Rast und Ruh
Und in Bangen sehen nach Süden zu;
Denn wütender wurde der Winde Spiel,
Und jetzt, als ob Feuer vom Himmel fiel,
50 Erglüht es in niederschießender Pracht
Überm Wasser unten . . . Und wieder ist Nacht.

„Wann treffen wir drei wieder zusamm'?"
„Um Mitternacht, am Bergeskamm."
„Auf dem hohen Moor, am Erlenstamm."
55 „Ich komme."
„Ich mit."
„Ich nenn euch die Zahl,"
„Und ich die Namen."
„Und ich die Qual."
60 „Hei!
Wie Splitter brach das Gebälk entzwei."
„Tand, Tand
Ist das Gebilde von Menschenhand."

THEODOR FONTANE

(1819–1898)

Die eigentlichen Balladenstoffe waren einst Tagesereignisse und
die Balladen selbst mehr oder weniger gelungene poetische Denkmäler
großer oder verruchter oder furchtbarer Taten und Geschehnisse, die
so der mündlichen Überlieferung erhalten bleiben sollten. So war es

---

wütend = rasend Pracht (f.) splendor **Bergeskamm** (m.) mountain ridge
Erle (f.) alder **Qual = Leid, Pein Gebälk** heavy timber(s)
Denkmal (n.) memorial **verrucht** infamous **mündlich** oral
Überlieferung tradition

mit den alten englisch-schottischen „border ballads", so ist es bis zum heutigen Tag mit den Volksballaden unseres eigenen Landes. Spätere, und manchmal vielleicht auch allzu gelehrte Dichter jedoch behandelten meist nur geschichtliche und mythische Themen in der Ballade.[1] Das Aktuelle erschien ihnen der poetischen Darstellung nicht mehr fähig; mindestens erschien es ihnen kein für die Ballade geeigneter Stoff. Fontanes Ballade „Die Brück am Tay" (1880) ist unter anderem darum merkwürdig, gerade weil sie einen ganz aktuellen Stoff aufgreift, ein eben geschehenes furchtbares Eisenbahnunglück. Damit scheint Fontane wieder zur alten Balladentradition zurückzukehren.

Fragen zum Nachdenken

1. Was findet man in dieser Ballade, was n i c h t modern ist und was ist dessen Funktion?

2. Ein moderner Kritiker (Fritz Martini) meint, das Hexenmotiv öffne „eine Sphäre des Irrational-Gespenstischen hinter dem isolierten und an sich zufälligen Ereignis" und deute somit „einen größeren, unheimlichen Schicksalszusammenhang an". Stimmt Ihre eigene Antwort auf die erste Frage mehr oder weniger mit Martinis Ansicht überein? Oder finden Sie diese Ansicht falsch? Warum?

3. Die Zeilen der ersten sowie der letzten Strophe – das Hexengespräch – sind aufgelöst, sprunghaft; sie flattern gleichsam im Winde. Die fünf achtzeiligen Strophen des mittleren Teils dagegen sind festgefügt. Warum dieser Unterschied? Was wird dadurch angedeutet? Ist hier vielleicht eine Ironie im Spiel? Erklären Sie!

4. In der großen Brücke und der schnellen Eisenbahn scheint die technische Welt über die Welt der Natur und der Dämonen gesiegt zu haben, was besonders in den Worten Johnies (30*ff.*) zum Ausdruck kommt. Und doch haben die Dämonen das letzte Wort. Was will der Dichter damit sagen?

---

[1] Siehe „Der Gott und die Bajadere" (mythisch), „Belsatzar" (biblisch-mythisch-historisch), „Des Sängers Fluch" (pseudogeschichtlich-moralisierend).

---

aktuell of the present moment   geeignet suitable
Gespenst (*n.*) ghost   festgefügt solidly structured

5. Die zivilisierte Welt wird hier durch zweierlei charakterisiert: durch das trauliche Christfest und die neue Technik. Der moderne Mensch, wie er hier gesehen wird, liebt immer noch das Alte, Anheimelnde: „Unser Johnie kommt und will seinen Baum . . ." Ja, es scheint sogar, Johnie will seinen Baum zweimal haben! Was meinen Sie dazu? Ist das eine Sentimentalität des Dichters oder der geschilderten Personen?

6. Wird die eigentliche Brückenkatastrophe im Gedicht beschrieben? Was interessiert den Dichter am meisten im mittleren Teil des Gedichts?

7. Ist Fontane tatsächlich zur alten Balladentradition zurückgekehrt?

---

traulich intimate, homey   **anheimelnd** = gemütlich

27

WER WEISS WO

Auf Blut und Leichen, Schutt und Qualm,
Auf roßzerstampften Sommerhalm
Die Sonne schien.
Es sank die Nacht. Die Schlacht ist aus,
5   Und mancher kehrte nicht nach Haus
Einst von Kolin.

Ein Junker auch, ein Knabe noch,
Der heut das erste Pulver roch,
Er mußte dahin.
10   Wie hoch er auch die Fahne schwang,
Der Tod in seinen Arm ihn zwang,
Er mußte dahin.

Ihm nahe lag ein frommes Buch,
Das stets der Junker bei sich trug,
15   Am Degenknauf.
Ein Grenadier von Bevern fand
Den kleinen erdbeschmutzten Band
Und hob ihn auf.

Leiche (*f.*) corpse   Schutt (*m.*) rubble   Qualm (*m.*) = dicker Rauch
roßzerstampft = von den Pferden niedergetreten   Halm (*m.*) = Gras (*n.*)
Kolin *Ort in Böhmen, wo die Österreicher über Friedrich den Großen einen Sieg
errungen haben, 18. Juni 1757 (Sieben-Jähriger Krieg)*
Junker = „junger Herr" (Edelmann)   er mußte dahin = er mußte sterben
fromm = religiös   Degenknauf (*m.*) pummel (of sword)
Bevern *Name eines Regiments*   Band = Buch

Und brachte heim mit schnellem Fuß
20 Dem Vater diesen letzten Gruß,
Der klang nicht froh.
Dann schrieb hinein die Zitterhand:
„Kolin. Mein Sohn verscharrt im Sand.
Wer weiß wo."

25 Und der gesungen dieses Lied,
Und der es liest, im Leben zieht
Noch frisch und froh.
Doch einst bin ich, und bist auch du
Verscharrt im Sand, zur ewigen Ruh,
30 Wer weiß wo.

DETLEV VON LILIENCRON
(1844–1909)

Fragen zum Nachdenken

1. Finden Sie dieses Gedicht sentimental? Warum? Was verstehen Sie unter Sentimentalität?

2. Wie sind die einzelnen Strophen aufgebaut? Was ist der Symbolismus der kurzen Zeilen (VV. 3 und 6 in jeder Strophe)?

3. Wenn VV. 1–15 dem Bereich des Todes gehören, zu welchem Bereich gehört die letzte Hälfte des Gedichts? Welches Ding-Symbol weist über den Tod hinaus? Stimmt die allgemeine Gefühlstönung des Gedichts mit der Bedeutung dieses Symbols überein? (Scheint der Dichter den Tod als das endgültige Ende anzusehen oder hofft er auf das Versprechen des „frommen Buchs"?)

4. Was ist besonders volksliedhaft an der letzten Strophe? (Vgl. „Auf dem Rhein"!)

---

verscharren = schlecht begraben   endgültig final   vgl. = vergleiche

28

BALLADE VON DES CORTEZ LEUTEN

Am siebten Tage unter leichten Winden
Wurden die Wiesen heller. Da die Sonne gut war
Gedachten sie zu rasten. Rollen Branntwein
Von den Gefährten, koppeln Ochsen los.
5 Die schlachten sie gen Abend. Als es kühl ward
Schlug man vom Holz des nachbarlichen Sumpfes
Armdicke Äste, knorrig, gut zu brennen.
Dann schlingen sie gewürztes Fleisch hinunter
Und fangen singend um die neunte Stunde
10 Mit Trinken an. Die Nacht war kühl und grün.
Mit heisrer Kehle, tüchtig vollgesogen
Mit einem letzten, kühlen Blick nach großen Sternen
Entschliefen sie gen Mitternacht am Feuer.
Sie schlafen schwer, doch mancher wußte morgens
15 Daß er die Ochsen einmal brüllen hörte.
Erwacht gen Mittag, sind sie schon im Wald.
Mit glasigen Augen, schweren Gliedern, heben
Sie ächzend sich aufs Knie und sehen staunend
Armdicke Äste, knorrig, um sie stehen
20 Höher als mannshoch, sehr verwirrt, mit Blattwerk
Und kleinen Blüten süßlichen Geruchs.
Es ist sehr schwül schon unter ihrem Dach
Das sich zu dichten scheint. Die heiße Sonne
Ist nicht zu sehen, auch der Himmel nicht.

Leute = Soldaten gedachten = beschlossen Branntwein (*m.*) brandy
Gefährt (*n.*) = Fuhrwerk (*n.*) loskoppeln unhitch schlachten butcher
gen = gegen Sumpf (*m.*) swamp knorrig gnarled hinunterschlingen =
schnell und gierig essen gewürzt spiced heiser hoarse Kehle (*f.*) throat
tüchtig vollgesogen "good and drunk" ächzend groaning
Blattwerk (*n.*) = Blätter Geruch (*m.*) odor schwül oppressive
dichten = dichter werden

25 Der Hauptmann brüllte wie ein Stier nach Äxten.
Die lagen drüben, wo die Ochsen brüllten.
Man sah sie nicht. Mit rauhem Fluchen stolpern
Die Leute im Geviert, ans Astwerk stoßend
Das zwischen ihnen durchgekrochen war.

30 Mit schlaffen Armen werfen sie sich wild
In die Gewächse, die leicht zitterten
Als ginge leichter Wind von außen durch sie.
Nach Stunden Arbeit pressen sie die Stirnen
Schweißglänzend finster an die fremden Äste.

35 Die Äste wuchsen und vermehrten langsam
Das schreckliche Gewirr. Später, am Abend
Der dunkler war, weil oben Blattwerk wuchs
Sitzen sie schweigend, angstvoll und wie Affen
In ihren Käfigen, von Hunger matt.

40 Nachts wuchs das Astwerk. Doch es mußte Mond sein:
Es war noch ziemlich hell, sie sahn sich noch.
Erst gegen Morgen war das Zeug so dick
Daß sie sich nimmer sahen, bis sie starben.
Den nächsten Tag stieg Singen aus dem Wald.

45 Dumpf und verhallt. Sie sangen sich wohl zu.
Nachts ward es stiller. Auch die Ochsen schwiegen.
Gen Morgen war es, als ob Tiere brüllten
Doch ziemlich weit weg. Später kamen Stunden
Wo es ganz still war. Langsam fraß der Wald

50 In leichtem Wind, bei guter Sonne, still
Die Wiesen in den nächsten Wochen auf.

BERTOLT BRECHT

(1898–1956)

---

stolpern stumble **Geviert** (*n.*) = **Quadrat** (*n.*) *here* emcampment
schlaff slack **Stirn** (*f.*) forehead **schweißglänzend** gleaming with sweat
Gewirr tangle, confusion **Affe** (*m.*) monkey **Käfig** (*m.*) cage
matt = **schlaff, müde nimmer** = **nie mehr verhallt** faintly echoing

Fernando Cortez (richtiger: Hernán Cortés), 1485–1547, war ein spanischer Abenteurer, der von Kuba aus mit wenigen Truppen Mexiko eroberte und das Reich der Azteken (Kaiser Montezuma) auf brutale und verräterische Weise vernichtete.

Fragen zum Nachdenken

1. Wie würden Sie das Thema dieses Gedichts formulieren?

2. Der Sänger dieser Ballade gibt sich nicht zu erkennen. Wessen Stimme verkörpert er? In wessen Namen spricht er?

3. Hätte der Dichter dieses Gedicht ebenso gut in Prosa schreiben können? Was gewinnt er durch die Versform?

29

MIGNON[1]

Kennst du das Land, wo die Zitronen blühn,
Im dunkeln Laub die Gold-Orangen glühn,
Ein sanfter Wind vom blauen Himmel weht,
Die Myrte still und hoch der Lorbeer steht,
5 Kennst du es wohl?
               Dahin! Dahin
Möcht ich mit dir, o mein Geliebter, ziehn.

Kennst du das Haus, auf Säulen ruht sein Dach,
Es glänzt der Saal, es schimmert das Gemach,
Und Marmorbilder stehn und sehn mich an:
10 Was hat man dir, du armes Kind, getan?
  Kennst du es wohl?
               Dahin! Dahin
Möcht ich mit dir, o mein Beschützer ziehn.

---

[1] Mignon ist der Name eines Mädchens in Goethes Roman *Wilhelm Meister*. **Mignon** singt dieses Lied Wilhelm vor, der zugleich ihr Freund, Beschützer und **Pflegevater** (foster father) ist.

Laub (*n.*) = **Blattwerk** (*n.*) **Myrte** myrtle **Lorbeer** laurel
Säule (*f*). column **Gemach** = **Saal** **Marmorbilder** = **Statuen**

Kennst du den Berg und seinen Wolkensteg?
Das Maultier sucht im Nebel seinen Weg;
15 In Höhlen wohnt der Drachen alte Brut;
Es stürzt der Fels und über ihn die Flut,
Kennst du ihn wohl?
                              Dahin! Dahin
Geht unser Weg! O Vater, laß uns ziehn!

JOHANN WOLFGANG VON GOETHE

(1749–1832)

Wolkensteg (*m.*) cloudy pass   **Maultier** mule
der Drachen *gen. plur.* the dragons'   **Brut** brood
es stürzt . . . Flut "the cliff (boulder) plunges downward and over it plunge the
waters"

30

SEHNSUCHT

Warum Schmachten?
Warum Sehnen?
Alle Tränen,
Ach! sie trachten
5   Weit nach Ferne,
Wo sie wähnen
Schönre Sterne.
Leise Lüfte
Wehen linde,
10   Durch die Klüfte
Blumendüfte.
Gesang im Winde,
Geisterscherzen,
Leichte Herzen!

15 Ach! ach! wie sehnt sich für und für,
O fremdes Land, mein Herz nach dir!
Werd' ich nie dir näher kommen,
    Da mein Sinn so zu dir steht?
Kommt kein Schifflein angeschwommen,
20   Das dann unter Segel geht?
Unentdeckte ferne Lande, –
Ach, mich halten ernste Bande,
Nur wenn Träume um mich dämmern
Seh' ich deine Ufer schimmern,
25 Seh' von dorther mir was winken, –
Ist es Freund, ist's Menschgestalt?
Schnell muß alles untersinken,
Rückwärts hält mich die Gewalt. –

---

schmachten languish   trachten = begehren, streben nach
wähnen = glauben (ween)   linde = mild   Kluft (*f.*) chasm
Duft (*m.*) = Geruch (*m.*)   Geisterscherzen spirit jesting

Warum Schmachten?
30 Warum Sehnen?
Alle Tränen,
Ach! sie trachten
Nach der Ferne,
Wo sie wähnen
35 Schönre Sterne. – –

LUDWIG TIECK

(1773–1853)

Fragen zum Nachdenken

1. Vergleichen Sie die Bilder in diesen beiden Gedichten. Von welchem läßt es sich sagen, das es so gut wie bildlos ist, mindestens in dem Sinne, daß man kaum entnehmen kann, w a s darin geschildert wird? Wie ist es mit dem anderen?

2. Vergleichen Sie den Rhythmus der beiden Gedichte, indem Sie erst das eine, dann das andere laut vorlesen. Versuchen Sie Ihren Eindruck in Worte zu fassen!

3. Vergleichen Sie den Gebrauch der Reime. Läßt sich in dem Lied von Tieck irgendein festes Reimschema finden? Was für Reime bevorzugt das zweite Lied, männlich (*steht-geht*) oder weiblich (*Lande-Bande*)? Und das Mignon-Lied? Wie tragen diese Züge zum allgemeinen Eindruck des betreffenden Gedichts bei?

4. Beide Lieder haben „Sehnsucht" als ihr Thema, aber offenbar wollen die beiden Dichter nicht dasselbe zum Ausdruck bringen. Das Mignon-Lied gestaltet die Sehnsucht nach einem ziemlich genau feststellbaren südlichen Land (aus dem Roman wissen wir, daß Italien gemeint sein muß): zuerst zwei in sich ruhende Bilder von dem Lande selbst, dann eine Schilderung von dem Weg dahin, d.h. von den Schwierigkeiten, die überwunden werden müssen, um dahin zu gelangen. Von allem haben wir einen ziemlich klaren, wenn auch ‚romantischen' Begriff. Wir glauben zu wissen, wonach Mignon sich sehnt. Was aber gestaltet das Lied von Tieck?

---

entnehmen infer, gather **bevorzugt** prefers **Züge** traits

31

DER RÖMISCHE BRUNNEN

FRÜHE FASSUNG:

In einem römischen Garten
Verborgen ist ein Bronne,
Behütet von dem harten
Geleucht der Mittagssonne,
5 Er steigt in schlankem Strahle
In dunkle Laubesnacht
Und sinkt in eine Schale
Und übergießt sie sacht.

Die Wasser steigen nieder
10 In zweiter Schale Mitte,
Und voll ist diese wieder,
Sie flutet in die dritte:
Ein Nehmen und ein Geben,
Und alle bleiben reich,
15 Und alle Fluten leben
Und ruhen doch zugleich.

---

römisch Roman Brunnen = Fontäne Fassung = Version
Bronne (*m.*) = Brunnen behütet protected Geleucht (*n.*) = Licht
Strahl (*m.*) = hervorschießendes Wasser Laubesnacht *see* das Laub foliage
Schale = Becken, Bassin sacht = sanft

VORSTUFE DER SCHLUSSFASSUNG:

Der Springquell plätschert und ergießt
Sich in der Marmorschale Grund,
Die, sich verschleiernd, überfließt
In einer zweiten Schale Rund;
5 Und diese gibt, sie wird zu reich,
Der dritten wallend ihre Flut,
Und jede nimmt und gibt zugleich
Und alles strömt und alles ruht.

SCHLUSSFASSUNG:

Aufsteigt der Strahl und fallend gießt
Er voll der Marmorschale Rund,
Die, sich verschleiernd, überfließt
In einer zweiten Schale Grund;
5 Die zweite gibt, sie wird zu reich,
Der dritten wallend ihre Flut,
Und jede nimmt und gibt zugleich
Und strömt und ruht.

CONRAD FERDINAND MEYER

(1825–1898)

Springquell = das hervorstrahlende Wasser   plätschern = leise murmeln
sich verschleierend growing veiled   wallend undulating

32

RÖMISCHE FONTÄNE

Zwei Becken, eins das andre übersteigend
aus einem alten runden Marmorrand,
und aus dem oberen Wasser leis sich neigend
zum Wasser,[1] welches unten wartend stand,

5   dem leise redenden entgegenschweigend[2]
und heimlich, gleichsam in der hohlen Hand
ihm Himmel hinter Grün und Dunkel zeigend
wie einen unbekannten Gegenstand;

sich selber ruhig in der schönen Schale
10   verbreitend ohne Heimweh, Kreis aus Kreis,
nur manchmal träumerisch und tropfenweis

sich niederlassend an den Moosbehängen
zum letzten Spiegel, der sein Becken leis
von unten lächeln macht mit Übergängen.

RAINER MARIA RILKE

(1875–1926)

---

[1] V. *3f.:* = und aus dem oberen Becken neigt sich das Wasser leis zum Wasser . . .

[2] Das Subjekt von *entgegenschweigend* ist das Wort *Wasser* in V. 4 (das Wasser in dem zweiten Becken *schweigt* dem *leise redenden* Wasser, das aus dem ersten Becken fließt, *entgegen*).

Moosbehänge mossy beards **Übergänge** transitions

Z u r B e a c h t u n g. *Dies ist eine längere Übung. Möglicherweise wird man nicht alle Fragen aufgeben wollen.*

Fragen zum Nachdenken

1. Das Gedicht „Der römische Brunnen" von C. F. Meyer bringen wir hier in drei Fassungen. Nur die Schlußfassung hat der Dichter als des Drucks würdig erachtet. Bevor Sie weiterlesen, versuchen Sie festzustellen, warum er wohl diese Fassung für die beste gehalten hat! Halten Sie sie auch für die beste? Geben Sie genaue Gründe für Ihre Vorliebe für diese oder eine der anderen Fassungen an!

2. Von der *Schlußfassung* von Meyers Gedicht hat ein Interpret[1] gesagt:

   (*a*) „Nur das Wesentliche ist ausgesagt, das aber mit aller Klarheit und Bestimmtheit. Man beachte die drei gegensätzlichen Wortpaare: *steigt-fallend, nimmt-gibt, strömt-ruht!* Kein zufälliges Beiwerk überdeckt die großen Linien und lenkt von der Hauptvorstellung ab. So erfahren wir beispielsweise nichts von der Umgebung des Brunnens."
   Trifft dies auch in der frühen Fassung zu? In der Vorstufe der Schlußfassung?

   (*b*) „Die gleiche Knappheit wie in der Wortgebung ist auch im Satzbau zu beobachten. In kurzen Hauptsätzen folgt eine wesentliche Aussage auf die andere; . . . Hauptwörter und Zeitwörter beherrschen die Sätze, das ausmalende Eigenschaftswort fehlt. Dagegen sind drei Partizipien da: *fallend, sich verschleiernd* und *wallend.* Auch sie dienen der Knappheit, indem sie die Aufgabe von Sätzen leisten. Außerdem haben sie als verbale Formen Anteil am Ausdruck der Bewegung, wäh-

---

[1] Wilhelm Schneider, *Liebe zum deutschen Gedicht*, 2. Aufl., Freiburg i. Br., 1954, 114*f.*

Druck (*m.*) print(ing)   **ablenken** distract   **zutreffen** apply, hold true
Knappheit economy   **Wortgebung** wording   **Eigenschaftswort = Adjektiv**

rend Eigenschaftswörter ja Eigenschaften, also Zuständliches bezeichnen."

Trifft dies auch in den früheren Fassungen zu?

(c) „Das Gedicht ist so aufgebaut, daß die ersten sechs Verse das Wasserspiel und den Brunnen beschreiben. Die Beschreibung ist so aufgeteilt, daß je zwei Verse einer der drei Schalen gewidmet sind. Der Dreigliedrigkeit des Brunnens entspricht die Dreigliedrigkeit der Beschreibung. Durch diese Übereinstimmung von Inhalt und Form wird ein Höchstmaß von Klarheit erreicht. Darauf fassen die beiden letzten Verse die Einzelheiten zusammen. Der Blick, der von Schale zu Schale abwärts gewandert ist, umgreift jetzt das Ganze und gewinnt eine einheitliche Wesensschau."

Trifft dies auch in der frühen Fassung zu?

(d) „In diesen Versen . . . waltet strengste Ojektivität. Keinem einzigen Wort kann man eine gefühlsmäßige Anteilnahme des Dichters an dem betrachteten und geschilderten Gegenstand entnehmen."

Stimmen Sie mit diesem Urteil überein? Trifft dasselbe in den früheren Versionen auch zu?

3. Erklären Sie genau, welche Änderungen zwischen der Vorstufe der Schlußfassung und der Schlußfassung eingetreten sind. Was ist die Wirkung dieser Änderungen?

———

4. Das Gedicht von Meyer und das Gedicht von Rilke schildern beide denselben Gegenstand: einen Springbrunnen im Park der Villa Borghese in Rom. Kann man dies aus den Gedichten selbst ersehen?

5. Es wurde oben gesagt (2d), daß Meyers Gedicht streng objektiv sei. Wie ist es mit dem Gedicht von Rilke? Spürt man hier eine gefühlsmäßige Anteilnahme von seiten des Dichters? Erklären Sie!

Glauben Sie, daß es überhaupt möglich ist, ein Gedicht zu schreiben, ohne solche Anteilnahme auszudrücken?

6. Das Wesen eines Springbrunnens ist Bewegung; im Rhythmus drückt sich Bewegung aus. Lesen Sie die Schlußfassung von dem

---

Dreigliedrigkeit tripartite structure
Wesensschau grasp of the essence **waltet = herrscht**

Meyerschen Gedicht und dann das Gedicht von Rilke laut vor und versuchen Sie die jeweilige rhythmische Bewegung zu charakterisieren.

7. Umschreiben Sie die zwei ersten Strophen von „Römische Fontäne" in Prosa.

8. Fließt, bewegt sich noch der Brunnen in Ihrer Umschreibung? Was haben Sie mit den Partizipien gemacht? Was ist die Funktion dieser Formen im Gedicht?

9. Rilke ist ein großer Meister des Vokalismus. Welches Spiel treibt er hier mit dem *ei*-Laut einerseits und den *a-o-u*-Lauten andererseits? Welchen symbolischen Wert besitzen diese Laute und wie wird dieser Wert (in VV. 1–8) durch den Wechsel von männlichem und weiblichem Reim unterstrichen? (Wir haben hier ein schönes Beispiel von ‚sprechendem' Reim: das bewegliche, ständig überfließende Wasser kommt in den -*eigend*-Partizipien zum Ausdruck, wird aber jedesmal durch die -*and*-Reime zur vorübergehenden Ruhe gebracht. Nicht nur dadurch, daß in drei Fällen hier eine Pause eintritt, sondern auch dadurch, daß die -*and*-Reime immer etwas Ruhendes, sich nicht Bewegendes bezeichnen.)

Was aber den Vokalismus betrifft, ist das Gedicht von Meyer vielleicht noch interessanter als das Rilkesche. Dies vollständig zu erklären, würde zuviel Zeit und Raum in Anspruch nehmen, doch soll mindestens eines beachtet werden, nämlich der Wechsel zwischen vorderen und hinteren Vokalen im Reim (*ie-u-ie-u-ei-u-ei-u*), der, ähnlich wie bei Rilke, das Strömen und Ruhen des Wassers versinnbildlicht. Dasselbe Prinzip findet man aber nicht nur im Reim, sondern auch innerhalb der Zeilen.

10. Ein Kritiker hat behauptet: „Rilke gibt den Brunnen nicht als Sinnbild, sondern als Sein." Er wolle „nicht Transparenz schaffen für eine hinter dem Sein des Brunnens liegende Bedeutung, sondern dieses Sein . . . [nur] intensiver erlebar machen."[1]

[1] Erich Hock, *Motivgleiche Gedichte*. Neuausgabe, Lehrerband, Bamberg & Wiesbaden, 1959, 66.

---

umschreiben paraphrase   Vokalismus voweling
vorderen front   **hinteren** back

Ein anderer Interpret dagegen[1] legt das Gedicht ganz und gar sinnbildlich aus, indem er das Wasser, das aus dem ersten Becken fließt, als das Göttliche oder „Offenbarung des Geistes" interpretiert, welches von dem Wasser in dem zweiten Becken – dem Dichter – empfangen wird, und dann schließlich, wenn auch nur „träumerisch und tropfenweis", an die dritte Schale – die Welt – weitergegeben wird. (Auch hier hört die Bewegung nicht auf, denn auch das unterste Becken fließt sanft über!)

Für diese Auslegung spricht manches, besonders das bei Rilke bedeutungsschwere Wort „Übergänge", das sehr wohl ein Wortspiel sein kann und daher doppeldeutig: Das Wasser „geht über", aber auch das Ganze, der Weltprozeß selbst ist gleichsam eine Reihe von „Übergängen", von einem Seinsbereich zum anderen. Feste Grenzen bestehen nicht, mindestens sollten sie nicht bestehen. Das Gedicht zeigt die Offenheit verschiedener Seinsbereiche auf.

Meyers Gedicht dagegen ist mehr wie ein geschlossenes System, auch wenn es mit solchen objektlosen Verbalformen wie „nimmt und gibt" (absolut gebraucht) über sich hinausweist.

11. Abstrakt betrachtet kann man den Gehalt von Meyers Gedicht als „strömende Ruhe" bezeichnen – Meyer liebt es, seine Welterfahrung in solchen polaren Symbolen auszudrücken. Wie könnte man den Gehalt des Rilkeschen Gedichts zusammenfassen?

---

[1] Hans Berendt, *Rainer Maria Rilkes Neue Gedichte: Versuch einer Deutung*, Bonn, 1957, 155*ff.*

33

HYMNE

Wenige wissen
Das Geheimnis der Liebe,
Fühlen Unersättlichkeit
Und ewigen Durst.
5 Des Abendmahls
Göttliche Bedeutung
Ist den irdischen Sinnen Rätsel;
Aber wer jemals
Von heißen, geliebten Lippen
10 Atem des Lebens sog,
Wem heilige Glut
In zitternde Wellen das Herz schmolz,
Wem das Auge aufging,
Daß er des Himmels
15 Unergründliche Tiefe maß,
Wird essen von seinem Leibe
Und trinken von seinem Blute
Ewiglich.
Wer hat des irdischen Leibes
20 Hohen Sinn erraten?
Wer kann sagen,
Daß er das Blut versteht?

---

fühlen Unersättlichkeit = wenige fühlen Unersättlichkeit (insatiability)
Abendmahl (*n.*) = Kommunion (*f.*) irdisch earthly Rätsel (*n.*) riddle
saugen (o o) suck, draw wem heilige Glut . . . schmolz = der, dessen Herz
heilige Glut . . . schmolz (melted) wem . . . aufging = der, dessen Auge aufging
(was opened) unergründlich unfathomable erraten (ie a) guess, divine

Einst ist alles Leib,
E i n Leib,
25 In himmlischem Blute
Schwimmt das selige Paar. –
O! daß das Weltmeer
Schon errötete,
Und in duftiges Fleisch
30 Aufquölle der Fels!
Nie endet das süße Mahl,
Nie sättigt die Liebe sich.
Nicht innig, nicht eigen genug
Kann sie haben den Geliebten.
35 Von immer zärteren Lippen
Verwandelt wird das Genossene
Inniglicher und näher.
Heißere Wollust
Durchbebt die Seele.
40 Durstiger und hungriger
Wird das Herz:
Und so währet der Liebe Genuß
Von Ewigkeit zu Ewigkeit.
Hätten die Nüchternen
45 Einmal gekostet,
Alles verließen sie,
Und setzten sich zu uns
An den Tisch der Sehnsucht,
Der nie leer wird.

---

einst . . . e i n Leib "one day everything will be body, *one* body"
selig blessed   erröten = rötlich werden   duftig = aromatisch
aufquellen (o o) swell up   Mahl (*n.*) meal   sättigen satisfy (hunger)
innig fervent   das Genossene what has been enjoyed (eaten)
Wollust pleasure, voluptuousness   durchbeben throb through
währen = dauern   die Nüchternen = die, welche nichts genossen haben
kosten taste

50   Sie erkennten der Liebe
     Unendliche Fülle,
     Und priesen die Nahrung
     Von Leib und Blut.

FRIEDRICH VON HARDENBERG („NOVALIS")

(1772–1801)

---

erkennten *subjunc.*   **priesen** *subjunc.* would praise   **Nahrung** nourishment

34

UNTERGRUNDBAHN

Die weichen Schauer. Blütenfrühe. Wie
aus warmen Fellen kommt es aus den Wäldern.
Ein Rot schwärmt auf. Das große Blut steigt an.

Durch all den Frühling kommt die fremde Frau.
5   Der Strumpf am Spann ist da. Doch, wo er endet,
ist weit von mir. Ich schluchze auf der Schwelle:
laues Geblühe, fremde Feuchtigkeiten.

O wie ihr Mund die laue Luft verpraßt!
Du Rosenhirn, Meer-Blut, du Götter-Zwielicht,
10   du Erdenbeet, wie strömen deine Hüften
so kühl den Gang hervor, in dem du gehst!

Dunkel: nun lebt es unter ihren Kleidern:
nur weißes Tier, gelöst und stummer Duft.

Ein armer Hirnhund. Schwer mit Gott behangen.

15   Ich bin der Stirn so satt. O ein Gerüste
von Blütenkolben löste sanft sie ab
und schwölle mit und schauerte und triefte.

Untergrundbahn (*f.*) subway **Schauer** (*m.*) "shower" *but with secondary sense
of* "thrill," "shiver" **Blütenfrühe** (*f.*) *a neologism meaning approximately*
"early blossoms" *and* "blooming earliness" **Fell** (*n.*) pelt, fur
aufschwärmen zoom, soar up **ansteigen** begin to rise **Spann** (*m.*) instep
schluchzen sob **Schwelle** (*f.*) threshold **Geblühe** (*n.*) mass of blossoms
verprassen consume greedily **Hirn** (*n.*) brain **Zwielicht** twilight
Beet (*n.*) bed (of flowers) **Hüfte** (*f.*) hip **gelöst** relaxed
behangen weighted down **Stirn** (*f.*) forehead *here* = **Hirn** **satt** satiated
Gerüste (*n.*) scaffolding **Blütenkolben** (*m.*) cluster of blossoms (spadix)
ablösen supplant **schwellen** (o o) swell **schauern** thrill, shiver **triefen** drip

So losgelöst. So müde. Ich will wandern.
Blutlos die Wege. Lieder aus den Gärten.
20 Schatten und Sintflut. Fernes Glück: ein Sterben
hin in des Meeres erlösend tiefes Blut.

GOTTFRIED BENN

(1886–1955)

Da sie aber aßen, nahm Jesus das Brot, dankte und brach's
und gab's den Jüngern und sprach: Nehmet, esset; das ist mein
Leib. Und er nahm den Kelch und dankte, gab ihnen den und
sprach: Trinket alle daraus; das ist mein Blut des neuen Testaments, welches vergossen wird für viele zur Vergebung der
Sünden. (Matth. 26:26–28)

Alles Genießen, Zueignen und Assimilieren ist Essen, oder
Essen ist vielmehr nichts als eine Zueignung. Alles geistige
Genießen kann daher durch Essen ausgedrückt werden.
(Novalis, *Fragmente*)

Novalis' „Hymne" ist eine Ausdeutung des Symbolismus des
heiligen Abendmahls in überaus konkreten, für manche wahrscheinlich
schockierend konkreten Bildern. Hier ist alles Spirituelle sinnlich
geworden, wenn auch alles Sinnliche spirituell. Die Hymne will, wie
es scheint, sagen, daß Christus für den Menschen immer erreichbar ist:
wir können Ihn essen. Das Schockierende aber daran ist, wie Novalis
das Brot und den Wein erotisiert: im Kuß „von heißen, geliebten
Lippen" geht ihm der Sinn des Abendmahls auf, darin errät er „des
irdischen Leibes hohen Sinn". Das Resultat ist, daß alles Fleisch wird
und alle Grenzen verschwinden, daß es, wie es in einem anderen Gedicht heißt, „keine Trennung mehr" gibt zwischen Sinnlichem und
Geistigem.

Oder ist dies nur Vision? Meint er, es werde erst am Ende der Zeiten
keine Trennung mehr geben? Gewiß muß es Novalis' Meinung sein,

---

losgelöst separate(d)   **Sintflut** (*f.*) the Deluge   **erlösen** release, redeem
zueignen embody, make a part of oneself

daß diejenigen, welche schon jetzt im Geiste des Neuen Testaments nach der Botschaft der Liebe leben und die daher von der Sündenknechtschaft schon befreit sind, mindestens einen Vorgeschmack jener Seligkeit genießen, die einst „von Ewigkeit zu Ewigkeit" währen soll. Es ist schwer mit Bestimmtheit zu sagen, wie sehr und bis zu welchem Grade Novalis das Einssein von allem mit allem, welches er als ein nie aufhörendes Essen versinnbildlicht, als schon von „uns" (V. 47) erreicht sieht. Ist es mehr als nur ein Vorgeschmack, ist es schon das wiedergewonnene Paradies? Wo aber bleibt dann der Ernst des Todes?

Fragen zum Nachdenken

1. Benns „Untergrundbahn" fußt auf derselben Grundmetapher wie die Hymne des Novalis, nämlich auf der Metapher von der Welt als Leib. Zeigen Sie das anhand der Bilder in den beiden Gedichten auf!

2. Offensichtlich gehört Benns „armer Hirnhund" nicht zu denen, die keine „Unersättlichkeit und ewigen Durst" fühlen – er fühlt sie. Zeigen Sie das anhand des Gedichts auf!

3. Was schließt den „armen Hirnhund" davon aus, seinen Hunger und Durst ins Positive, in ein nie endendes Genießen zu verwandeln, wie bei Novalis?

4. Welches Gedicht ist ehrlicher, Ihrer Meinung nach? Warum? Was verstehen Sie unter „Ehrlichkeit" in einem Kunstwerk?

5. Was haben Sie über mögliche Bedeutungen des Titels von Benns Gedicht zu sagen?

Botschaft gospel **Sündenknechtschaft** slavery to sin
Vorgeschmack foretaste **Seligkeit** blessedness, bliss

C. *Rein Lyrisch*

35

Ist's möglich, daß ich, Liebchen, dich kose,
Vernehme der göttlichen Stimme Schall!
Unmöglich scheint immer die Rose,
Unbegreiflich die Nachtigall.

JOHANN WOLFGANG VON GOETHE

(1749–1832)

---

kosen caress vernehme = daß ich vernehme (höre) Schall (*m.*) = Laut (*m.*)
Nachtigall nightingale

36

NÄHE DES GELIEBTEN

Ich denke dein, wenn mir der Sonne Schimmer
Vom Meere strahlt;
Ich denke dein, wenn sich des Mondes Flimmer
In Quellen malt.

5 Ich sehe dich, wenn auf dem fernen Wege
Der Staub sich hebt;
In tiefer Nacht, wenn auf dem schmalen Stege
Der Wandrer bebt.

Ich höre dich, wenn dort mit dumpfem Rauschen
10 Die Welle steigt.
Im stillen Haine geh ich oft zu lauschen,
Wenn alles schweigt.

Ich bin bei dir, du seist auch noch so ferne,
Du bist mir nah!
15 Die Sonne sinkt, bald leuchten mir die Sterne.
O wärst du da!

JOHANN WOLFGANG VON GOETHE
(1749–1832)

„Ist's möglich, daß ich, Liebchen, dich kose" ist ein Beispiel reinster
Lyrik – nur verwunderter Ausruf über die Herrlichkeit der Schöpfung,
deren wir manchmal (hier beispielsweise in der Liebe, der Rose, der

---

Quelle (*f.*) spring Staub dust schmal = eng Steg (*m.*) = Pfad (*m.*), enge
Brücke beben = zittern tremble dumpf hollow Hain (*m.*) = Wald (*m.*)
lauschen = horchen listen intently Schöpfung creation

Nachtigall) mit großer Intensität innewerden. „Unmöglich" und „unbegreiflich" erscheint diese Gnade, die uns nicht so sehr gegeben als a u f gegeben wird. Das kleine Gedicht ist einer von Goethes vielen Versuchen für die Gnade des Lebens zu danken, indem er das Erlebnis selbst in Form bannt. So sucht e r die göttliche Aufgabe zu lösen.

Fragen zum Nachdenken

„Nähe des Geliebten"

1. Man hat gesagt, die Kontrapunktik von Ferne und Nähe mache den Reiz dieses Gedichts aus. Wie ist dies zu verstehen?

2. Ein Kritiker (Herman Meyer) spricht von einem „Klimax der Versinnlichung" in den drei ersten Strophen. Erklären Sie, was damit gemeint ist!

   Derselbe Kritiker spricht auch von der „völligen Vergegenwärtigung [des Geliebten] in der Schlußstrophe". Stimmt das vollkommen oder bleibt die „Kontrapunktik von Ferne und Nähe" doch noch beibehalten?

3. Der Aufbau dieses Gedichts ist außerordentlich regelmäßig, ohne aber steif zu wirken. Zuerst syntaktisch – man beachte VV. 1–10! – noch auffälliger aber in metrischer Hinsicht. Das metrische Schema der zwei ersten Zeilen sieht so aus:

   $$\cup\_\cup\_\cup\_\cup\_\cup\_\cup$$
   $$\cup\_\cup\_$$

   Wird dieses Schema im Laufe des Ganzen jemals durchbrochen?

4. Stellen Sie das metrische Schema von Strophen 1–3 auf, indem Sie die Kola, die durch Interpunktion bzw. durch das Ende der Zeilen angedeutet sind, durch schräge Striche markieren – einen Strich (/) für ein leichteres Kolon, zwei (/ /) für ein schwereres.

---

innewerden become aware of   **Gnade** grace
aufgeben *see* **die Aufgabe   Reiz** charm   **Versinnlichung = sinnlich machen**
Vergegenwärtigung = gegenwärtig machen   Kola = Atemgruppen

5. Ist Ihnen beim Aufstellen des metrischen Schemas mitsamt Kola etwas über die Weise, in der hier das Gedicht seine Wirkung realisiert, zum Bewußtsein gekommen? Was haben Sie über die Kola am Anfang der Langzeilen und die der Kurzzeilen entdeckt?

Können Sie die Wirkung des Gedichts in Worte fassen? Können Sie mindestens zum Teil erklären, wie das „Wie" das „Was" aussagt? (Beachten Sie das System von Korrespondenzen im Metrum und in der Syntax! Wie drückt es den Inhalt aus? Was besagen inhaltlich die längeren Kola?)

6. *Mit dem Wörterbuch zu lesen:* „Der starke Unterschied von Langzeile und Kurzzeile und die hierdurch bedingte innige Responsion der letzteren auf die erstere bewirkt einen flutenden Wechsel von Diastole und Systole, der zum angemessenen Eidos des ungreifbar wehenden Gefühls wird." (Herman Meyer)

37

DU

Die Erde war gestorben,
Ich lebte ganz allein.
Die Sonne war verdorben,
Bis auf die Augen dein.

5 Du bietest mir zu trinken
Und blickest mich nicht an.
Läßt du die Augen sinken,
So ist's um mich getan.

Der Frühling regt die Schwingen,
10 Die Erde sehnet sich.
Sie kann nichts wiederbringen,
Als dich, du Gute, dich!

CLEMENS BRENTANO
(1778–1842)

Dieses Gedicht ist eine weiter ausgeführte Metapher. Was ist die Metapher?

---

verdorben ruined   **bis auf** except for   **es ist um mich getan** "it's all up with me"
Schwingen = **Flügel**

38

AN DIE NACHT

Heilge Nacht, heilge Nacht!
Sterngeschloßner Himmelsfrieden!
Alles, was das Licht geschieden,
Ist verbunden,
5   Alle Wunden
Bluten süß im Abendrot.

Bjelbogs Speer, Bjelbogs Speer
Sinkt ins Herz der trunknen Erde,
Die mit seliger Gebärde,
10   Eine Rose,
In dem Schoße
Dunkler Lüste niedertaucht.

Züchtge Braut, züchtge Braut!
Deine süße Schmach verhülle,
15   Wenn des Hochzeitbechers Fülle
Sich ergießet!
Also fließet
In die brünstge Nacht der Tag.

CLEMENS BRENTANO
(1778–1842)

Erklären Sie so genau wie möglich die Metaphorik dieses Gedichts!

---

sterngeschloßner Himmelsfrieden *see* **Frieden schließen** to make peace
Bjelbog = *bêlyj bog „weißer Gott", hier der Tag oder die (sinkende) Sonne*
Gebärde = Geste, Bewegung **Schoß** (*m.*) lap, bosom
niedertauchen = untergehen **züchtig** = scheu und bescheiden, sittlich
Schmach humiliation **verhüllen** = verbergen **brünstig** = sexuell erregt sexually excited

39

Leise zieht durch mein Gemüt
Liebliches Geläute.
Klinge, kleines Frühlingslied,
Kling hinaus ins Weite.

5 Kling hinaus, bis an das Haus,
Wo die Blumen sprießen.
Wenn du eine Rose schaust,
Sag, ich laß sie grüßen.

HEINRICH HEINE

(1797–1856)

In diesem kleinen, aber berühmten Gedicht gebraucht Heine den
Topos des Lieds als eines Boten: er sendet es hinaus, um das Liebchen
(die Rose) zu grüßen. Das Reizvolle an dem kleinen Gebilde ist aber
nicht die etwas verblaßte Metaphorik, so gewandt sie gehandhabt wird,
sondern das virtuos behandelte Klangliche, worauf das dreimalige
„kling" die Aufmerksamkeit zieht.

Fragen zum Nachdenken

1. Untersuchen Sie dieses Lied aufs Klangliche hin, indem Sie ein
   Vokalschema aufstellen, worin die betonten Vokale eingezeichnet
   sind. Vers 1 sieht so aus: *ei-ie-ei-ü.*

Geläute *see* **läuten** ring   **sprießen** spring   **Topos** *eine traditionelle Ausdrucks-*
formel, meistens sehr alt (aus der Antike stammend)   **Bote** (*m.*) messenger
reizvoll charming   **verblaßt** faded   **gewandt** skillful   **handhaben** manage
virtuos = **meisterhaft**

2. Was für Reime werden hier gebraucht, reine oder unreine? Was nennt man einen ‚Reim' wie *Haus-schaust?* Gibt es n u r Endreim?

3. Welche anderen Mittel außer dem Vokalismus veranschaulichen das klingende Lied?

4. W i e klingt dies Liedchen? Auf was für einen inneren Zustand des Sängers läßt die Behandlung der klanglichen Mittel schließen?

---

schließen auf infer (from)

40

Aus alten Märchen winkt es
Hervor mit weißer Hand;
Da singt es und da klingt es
Von einem Zauberland:

5 Wo große Blumen schmachten
Im goldnen Abendlicht
Und zärtlich sich betrachten
Mit bräutlichem Gesicht; –

Wo alle Bäume sprechen
10 Und singen wie ein Chor,
Und laute Quellen brechen
Wie Tanzmusik hervor; –

Und Liebesweisen tönen,
Wie du sie nie gehört,
15 Bis wundersüßes Sehnen
Dich wundersüß betört!

Ach, könnt' ich dorthin kommen
Und dort mein Herz erfreun,
Und aller Qual entnommen
20 Und frei und selig sein!

---

schmachten languish   **bräutlich** bridelike   **Liebesweisen** lovelorn melodies
betören entrance, infatuate   **Qual** (*f.*) torment

Ach! jenes Land der Wonne,
Das seh' ich oft im Traum;
Doch kommt die Morgensonne,
Zerfließt's wie eitel Schaum.

HEINRICH HEINE

(1797–1856)

Wie ist das Thema dieses Gedichts mit dem von Heines „Loreley"
verwandt?

Wonne bliss   **eitel Schaum** mere foam

41

GESANG WEYLAS

Du bist Orplid, mein Land!
Das ferne leuchtet;
Vom Meere dampfet dein besonnter Strand
Den Nebel, so der Götter Wange feuchtet.

5 Uralte Wasser steigen
Verjüngt um deine Hüften, Kind!
Vor deiner Gottheit beugen
Sich Könige, die deine Wärter sind.

EDUARD MÖRIKE

(1804–1875)

Fragen zum Nachdenken

1. Wie wird das Land Orplid geschildert, direkt oder indirekt? Erklären Sie!

2. Was können Sie über die Wirkung des Enjambements (VV. 3 und 4, 5 und 6, 7 und 8) sagen?

3. Auch in diesem Gedicht scheint es wie „aus alten Märchen" hervorzuwinken, doch im Ton der absoluten Überzeugung – man weiß, diese Vision wird nicht in der Morgensonne „wie eitel Schaum" zerfließen. Was ist wohl der grundlegende Unterschied zwischen Mörikes Phantasielandschaft und Heines?

Weyla *Personenname* **Orplid** *eine Phantasieinsel* **dampfen** exhale (vapor)
so = der **Wange** cheek **feuchten** dampen **Hüfte** hip **Wärter** = Diener

42

DIE NACHTIGALL

Das macht, es hat die Nachtigall
Die ganze Nacht gesungen;
Da sind von ihrem süßen Schall,
Da sind in Hall und Widerhall
5   Die Rosen aufgesprungen.

Sie war doch sonst ein wildes Blut;
Nun geht sie tief in Sinnen,
Trägt in der Hand den Sommerhut
Und duldet still der Sonne Glut,
10 Und weiß nicht, was beginnen.

Das macht, es hat die Nachtigall
Die ganze Nacht gesungen;
Da sind von ihrem süßen Schall,
Da sind in Hall und Widerhall
15 Die Rosen aufgesprungen.

THEODOR STORM

(1817–1888)

Fragen zum Nachdenken

1. *Mit Wörterbuch zu lesen:* „Dem einfachen Thema entspricht die
größte Einfachheit in Wortwahl, Satzbau und Anordnung der
Strophen. Man könnte von einer Mittelachse sprechen, die zwischen
der ersten und zweiten Zeile der zweiten Strophe liegt:

> Sie war doch sonst ein wildes Blut;
> Nun geht sie tief in Sinnen . . .

Hall und Widerhall echo and reechoing **Blut** = *here* **Mädchen**
tief in Sinnen deep in thought **dulden** suffer, bear **beginnen** = **tun**

Die Veränderung, die über das Mädchen gekommen ist, der Wandel von der Ausgelassenheit der Jugend zur Nachdenklichkeit, ist der Gegenstand des Gedichtes. An die Bilder der Natur in der ersten Strophe schließt sich das in wenigen Strichen angedeutete menschliche Erleben. Der Kreis schließt sich in der Wiederholung der ersten Strophe."[1]

2. Von welcher Tageszeit ist die Rede in der ersten Strophe? In der zweiten? Was ist „an den Tag gekommen"?

3. Die erste Strophe ist auf eine akustische Wirkung angelegt – es wird ein Hören suggeriert. Wie ist es mit der zweiten?

4. Die umrahmenden Strophen sind liedhaft, gesungen. Wie würden Sie die zweite bezeichnen?

5. Die umrahmenden Strophen sind im Perfekt. Was ist das Tempus der zweiten? Sehen Sie einen Grund dafür?

6. Storm, ein großer Meister kleinerer Formen (Lyrik, Novelle), nützt hier auf virtuose Weise die Möglichkeiten der fünfzeiligen Strophe aus. Eine Eigentümlichkeit dieser Form, ist die Möglichkeit, den Schluß hinauszuschieben, ein Ritardando einzuschalten, das sehr zum Reiz der Strophe beiträgt.

Lesen Sie die erste Strophe o h n e die vierte Zeile vor! Was für eine Wirkung hat diese Änderung auf das Aufspringen der Rosen?

---

[1] Horst Jarka, „Theodor Storms Gedicht ‚Die Nachtigall' ", *The German Quarterly*, XXXIX (March 1966), 188*f*. Die folgenden Fragen sind durch diesen sehr lesenswerten Aufsatz angeregt worden.

Tempus tense   **einschalten** insert

43

IM WALDE

Hier an der Bergeshalde
Verstummet ganz der Wind;
Die Zweige hängen nieder,
Darunter sitzt das Kind.

5   Sie sitzt in Thymiane,
Sie sitzt in lauter Duft;
Die blauen Fliegen summen
Und blitzen durch die Luft.

Es steht der Wald so schweigend,
10   Sie schaut so klug darein;
Um ihre braunen Locken
Hinfließt der Sonnenschein.

Der Kuckuck lacht von ferne.
Es geht mir durch den Sinn:
15   Sie hat die goldnen Augen
Der Waldeskönigin.

THEODOR STORM

(1817–1888)

Halde = **Abhang**   **Thymiane** thyme

Ein auffälliges Merkmal von Storms Dichtung ist das Schaffen einer höchst sinnlichen, zugleich aber fast märchenhaften Atmosphäre. „Im Walde" ist ein hervorragendes Beispiel solcher Kunst: hier erleben wir die Magie des Sinnlichen wie selten sonst. Das Gedicht ist hauptsächlich aus Elementen aufgebaut, welche akustisch und visuell wirken – hinzu kommt noch der Geruchssinn. Die Sätze sind die Einfachheit selbst: ganz parataktisch, nirgends ein Nebensatz; dasselbe gilt von der Wortwahl – ein achtjähriges Kind würde das Gedicht lesen können.

Der Mittelpunkt des Gedichts ist natürlich „das Kind" (es ist das Mädchen Elisabeth in der Novelle *Immensee*). Wie läßt uns Storm an der Überzeugung teilnehmen, daß sie tatsächlich die „Waldeskönigin" ist? Ist Storms Methode der von Mörike in „Gesang Weylas" verwandt? Erklären Sie!

---

parataktisch *see* „parataxis" in English dictionary

44

DIE SIGNATUR

Damastner Glanz des Schnees,
Darauf liest sich die Spur
Des Hasen, Finken, Rehs,
Der Wesen Signatur.

5 In ihre Art geschickt,
Lebt alle Kreatur.
Bin ich nur ihr entrückt
Und ohne Signatur?

Es huscht und fließt und girrt –
10 Taut Papagenos Spiel
Den starren Januar?
Durchs Haupt der Esche schwirrt,
Der Esche Yggdrasil,
Die Hänflings-, Zeisigschar.

15 Die goldnen Bälle blitzen,
Vom Mittagslicht gebannt,
Bis sie in Reihen sitzen,
Der Sonne zugewandt,
Wie Geister von Verklärten,
20 Die noch die Götter ehrten.

---

damasten damasklike **Spur** trace **Hase** (*m.*) hare **Finke** (*m.*) finch
Reh (*n.*) deer **Wesen** (*n.*) = **Kreatur** (*f.*) **geschickt** fitted, suited
entrückt removed (from) **girren** coo **tauen** thaw **Papageno** *der flöten-*
spielende Vogelfänger in Mozarts Oper „Die Zauberflöte" **schwirren** whir
die Esche Yggdrasil *der ‚Weltbaum' (ash) nordischer Mythologie; darunter*
sitzen die Nornen (Fates) **Hänfling** (*m.*) linnet **Zeisig** (*m.*) siskin
die goldenen Bälle *sind natürlich die Vögel* **verklärt** transfigured

Die leisen Stimmen wehn
Aus den verzückten Höhn
Ein Cembalogetön.
Die Vogelkreatur,
25   Kann ich sie hören, sehn,
Brauch ich nicht mehr zu flehn
Um meine Signatur.

WILHELM LEHMANN

(1882–   )

Besprechen Sie die Bedeutung des Wortes „Signatur" in diesem
Gedicht!

---

wehen blow (gently)   **verzückt** enraptured   **Höhe** (*f.*) height
Cembalo harpsichord   **flehen** plead

45

Wenn im Unendlichen dasselbe
Sich wiederholend ewig fließt,
Das tausendfältige Gewölbe
Sich kräftig ineinander schließt,
5   Strömt Lebenslust aus allen Dingen,
Dem kleinsten wie dem größten Stern,
Und alles Drängen, alles Ringen
Ist ewige Ruh in Gott dem Herrn.

JOHANN WOLFGANG VON GOETHE

(1749–1832)

Welches Paradoxon gestaltet dieses Gedicht und wie spiegelt sich dasselbe in der Form?

Gewölbe vault, arch   **Drängen** urgent activity   **Ringen** struggling

46

DIE SÄNGER DER VORWELT

Sagt, wo sind die Vortrefflichen hin, wo find ich die Sänger,
    Die mit dem lebenden Wort horchende Völker entzückt,
Die vom Himmel den Gott, zum Himmel den Menschen
                         gesungen
    Und getragen den Geist hoch auf den Flügeln des Lieds?
5 Ach, noch leben die Sänger, nur fehlen die Taten, die Lyra
    Freudig zu wecken, es fehlt, ach! ein empfangendes Ohr.
Glückliche Dichter der glücklichen Welt! Von Munde zu
                      Munde
    Flog, von Geschlecht zu Geschlecht euer empfundenes
                      Wort.
Wie man die Götter empfängt, so begrüßte jeder mit Andacht,
10   Was der Genius ihm, redend und bildend, erschuf.
An der Glut des Gesangs entflammten des Hörers Gefühle,
    An des Hörers Gefühl nährte der Sänger die Glut.
Nährt' und reinigte sie! Der Glückliche, dem in des Volkes
    Stimme noch hell zurück tönte die Seele des Lieds,
15 Dem noch von außen erschien, im Leben, die himmlische
                      Gottheit,
    Die der Neuere kaum, kaum noch im Herzen vernimmt.

FRIEDRICH SCHILLER

(1759–1805)

Vorwelt primeval world (*Schiller denkt an die alten Griechen*)
vortrefflich excellent, admirable **entzückt** = **entzückt haben** enraptured
(*auch nach* **gesungen** *und* **getragen** *ist* haben *zu supplieren*) **Lyra** lyre
Geschlecht (*n.*) generation **Andacht** (*f.*) reverence **nähren** nourish
reinigen purify **dem** (V. 15) = **dem Glücklichen, dem** **der Neuere** *d.h. der*
moderne Dichter **vernimmt** = hört

Dieses Gedicht steht unter Schillers Elegien und ist in Distichen, dem klassischen Versmaß dieser Gattung verfaßt. Ein Distichon (*griech.* ‚Zweizeiler') besteht aus einem Hexameter und einem Pentameter; jeder Teil hat sechs Hebungen:

> Sagt, wo sind die Vortrefflichen hin, wo find ich die Sänger,
> Die mit dem lebenden Wort horchende Völker entzückt

Eine Eigentümlichkeit dieser Form ist ihre ausgeprägte Zweiteiligkeit, die aber zugleich eine Verbundenheit ist. Sie findet sich nicht bloß in den kontrastierenden, aber durch die Syntax eng aufeinander bezogenen Zeilenpaaren, sondern auch innerhalb der Zeilen selbst, wo sie zur Methode erhoben ist. Im Pentameter stoßen immer zwei Hebungen (die dritte und vierte) aufeinander, so daß mann eine Pause einlegen muß:

> Die mit dem lebenden Wort / horchende Völker entzückt

Wie spiegelt sich in der Zweiteiligkeit der Form das Thema dieser Elegie wider?

47

KOLUMBUS

Steure, mutiger Segler! Es mag der Witz dich verhöhnen,
 Und der Schiffer am Steur senken die lässige Hand.
Immer, immer nach West! Dort m u ß die Küste sich zeigen,
 Liegt sie doch deutlich und liegt schimmernd vor deinem
 Verstand.
5 Traue dem leitenden Gott und folge dem schweigenden
 Weltmeer,
 Wär sie noch nicht, sie stieg' jetzt aus den Fluten empor.
Mit dem Genius steht die Natur in ewigem Bunde,
 Was der eine verspricht, leistet die andre gewiß.

FRIEDRICH SCHILLER

(1759–1805)

 Was können Sie hier über das Verhältnis von Form und Gehalt
sagen?

---

verhöhnen deride **lässig** = **nachlässig** careless, indolent
Weltmeer = **Atlantik** **sie** (V. 6) = **die Küste** **Genius** *hier im engl. Sinn ge-*
braucht **leisten** = zustandebringen

48

AUF EINE LAMPE

Noch unverrückt, o schöne Lampe, schmückest du,
An leichten Ketten zierlich aufgehangen hier,
Die Decke des nun fast vergeßnen Lustgemachs.
Auf deiner weißen Marmorschale, deren Rand
5 Der Efeukranz von goldengrünem Erz umflicht,
Schlingt fröhlich eine Kinderschar den Ringelreihn.
Wie reizend alles! lachend, und ein sanfter Geist
Des Ernstes doch ergossen um die ganze Form –
Ein Kunstgebild der echten Art. Wer achtet sein?
10 Was aber schön ist, selig scheint es in ihm selbst.

EDUARD MÖRIKE
(1804–1875)

Fragen zum Nachdenken

1. Beschreiben Sie – auf englisch – genau wie diese Lampe aussieht!

2. Aufbau: 3 + 3 + 4 (2 + 2). Zeigen Sie dies auf!

3. Verse 1–3 und 4–6 sind durch die Anrede-Haltung des Sprechenden miteinander verbunden – er redet die Lampe an. So ist dies keine absolut objektive Schilderung eines Gegenstands, sondern eigentlich mehr ein Gespräch m i t dem Gegenstand. Finden wir diese Haltung in anderen Mörike-Gedichten, die wir gelesen haben? In welchen?

---

unverrückt undisturbed   schmücken adorn   Kette chain   zierlich delicate
Lustgemach (*n.*) ballroom ("pleasure room")   Rand (*m.*) edge
Efeukranz ivy wreath   Erz bronze   schlingt den Ringelreihn "dances with joined hands"   ergießen (o o) pour forth   wer achtet sein? "who notices it?"
ihm = sich

Worin besteht der Unterschied, psychologisch-rhetorisch gesehen, zwischen VV. 7–10 und den vorhergehenden? Was tut der Sprechende in VV. 7–10?

4. Was soll, nach diesem Gedicht, „ein Kunstgebild der echten Art" besitzen, d.h. worin scheint für Mörike das Wesen des Schönen zu bestehen? Sagt dies zugleich etwas über das Wesen der „Lust" aus, wie sie hier gesehen wird?

5. „N o c h unverrückt" in einem „f a s t vergeßnen Lustgemach" hängt die Lampe. Widerspricht dies der Aussage der letzten Zeile? Wäre das Gedicht möglich (wäre die Schönheit der Lampe möglich), wenn das Gemach g a n z vergessen wäre?

6. „Wer achtet sein?" Ja, wer?

7. Teilweise gerade weil man Fragen 5 und 6 verschiedenartig beantwortet hat, hat sich ein Streit um die Bedeutung des Worts „scheint" in V. 10 entwickelt:

Was aber schön ist, selig s c h e i n t es in ihm selbst.

Soll man „scheint" im Sinne von *videtur* nehmen oder im Sinne von *lucet*? Was meinen Sie dazu?

8. *Mit dem Wörterbuch zu lesen:* „Da dieses Gedicht das Insichselbstbestehen des Schönen, unabhängig von äußerem Bestehen und Vergehen, aussprechen will und da die Unantastbarkeit eines solchen Schönen gerade durch die Harmonie zwischen Innen und Außen gewährleistet wird, so dient das Fehlen der Spannung zwischen metrischer Form und rhythmischer Gestalt dem Auszusagenden." [Irmgard Weithase, „Mörike ‚Auf eine Lampe': Versuch einer sprechwissenschaftlichen Interpretation", *Deutsche Vierteljahrsschrift*, 41/1, (März 1967), 74.]

Können Sie das hier erwähnte „Fehlen der Spannung zwischen metrischer Form und rhythmischer Gestalt" aufzeigen?

---

videtur seems   *lucet* shines

49

DER DICKE MANN IM SPIEGEL

Ach Gott, ich bin das nicht, der aus dem Spiegel stiert,
Der Mensch mit wildbewachsner Brust und unrasiert.
    Tag war heut so blau,
    Mit der Kinderfrau
5 Wurde ja im Stadtpark promeniert.

Noch kein Matrosenanzug flatterte mir fort
Zu jenes strengverschlossenen Kastens Totenort.
    Eben abgelegt
    Hängt er unbewegt,
10 Klein und müde an der Türe dort.

Und ward nicht in die Küche nachmittags geblickt?
Kaffee roch winterlich, und Uhr hat laut getickt.
    Atmend stand verwundert,
    Der vorher getschundert
15 Übers Glatteis mit den Brüderchen geschickt.

Auch hat die Frau mir heut wie immer Angst gemacht
Vor jenem Wächter Kakitz, der den Park bewacht.
    Oft zu öder Zeit
    Hör im Traum ich weit
20 Diesen Teufel säbelschleppen in der Nacht.

---

stieren stare   VV. 6–7 "no sailor suit (had) yet fluttered away to the grave
of that strictly closed trunk" **er** (V. 9) = **der Matrosenanzug**
VV. 14–15 "the boy who had just been sliding so skillfully **(geschickt)**
over the ice with his little brothers" **Kakitz** *Personenname*
öd = **einsam, betrübt** **säbelschleppen** dragging his saber

Die treue Alte, warum kommt sie denn noch nicht?
Von Schlafesnähe allzuschwer ist mein Gesicht.
    Wenn sie doch schon käme
    Und es mit sich nähme,
25 Das dort oben leise singt, das Licht!

Ach, abendlich besänftigt tönt kein stiller Schritt.
Und Babi dreht das Licht nicht aus und nimmt es mit.
    Nur der dicke Mann
    Schaut mich hilflos an,
30 Bis er tieferschrocken aus dem Spiegel tritt.

FRANZ WERFEL

(1890–1945)

Fragen zum Nachdenken

1. Welche der folgenden Formulierungen scheint Ihnen den Gehalt dieses Gedichts am besten zu umschreiben?

    (*a*) Die Kindheit ist ein unverlierbarer Schatz.
    (*b*) Was wir i n n e n sind, können wir oft nicht a u s drücken.
    (*c*) Einsicht in den Verlust der Kindheit ist Einsicht in das Sterbenmüssen.
    (*d*) Selbst-Konfrontation ist schwer zu ertragen.
    (*e*) Oder noch anders? (Ihre eigene Formulierung!)

2. Welche symbolische Funktion kann man dem auffälligen Unterschied im Rhythmus zwischen den zwei ersten und den drei letzten Zeilen der Strophen zuschreiben?

3. Warum heißt es (V. 12) „K a f f e e roch winterlich, und U h r hat laut getickt" anstatt d e r Kaffee und d i e Uhr?

---

die treue Alte *d.h. die Kinderfrau* **besänftigen** soften
Babi *Name der Kinderfrau* (*Koseform von ,Barbara'*) **zuschreiben** attribute to

50

blindlings

siegreich sein
wird die sache der sehenden
die einäugigen
haben sie in die hand genommen
5 die macht ergriffen
und den blinden zum könig gemacht

an der abgeriegelten grenze stehn
blindekuhspielende polizisten
zuweilen erhaschen sie einen augenarzt
10 nach dem gefahndet wird
wegen staatsgefährdender umtriebe

sämtliche leitende herren tragen
ein schwarzes pflästerchen
über dem rechten aug
15 auf den fundämtern schimmeln
abgeliefert von blindenhunden
herrenlose lupen und brillen

---

blindlings blindly   VV. 1–4 "to be victorious / will be (is) the business
of those who can see / the one-eyed ones have taken it over"
abgeriegelt sealed off   **blinde Kuh** blindman's buff   **zuweilen** = dann und wann
erhaschen = fangen   **fahnden(nach)** = suchen (nach)   **staatsgefährdende**
Umtriebe activities dangerous to the state   **sämtliche** = alle
leitend = führend   **Pflästerchen** patch   **Fundamt** (*n.*) lost-and-found office
schimmeln grow mouldy (*ask your instructor to explain pun!*)
abliefern turn in   **Blindenhund** seeing-eye dog   **herrenlos** ownerless
Lupe (*f.*) magnifying glass   **Brille** (*f.*) pair of glasses

strebsame junge astronomen
lassen sich glasaugen einsetzen
20 weitblickende eltern
unterrichten ihre kinder beizeiten
in der fortschrittlichen kunst des schielens

der feind schwärzt borwasser ein
für die bindehaut seiner agenten
25 anständige bürger aber trauen
mit rücksicht auf die verhältnisse
ihren augen nicht
streuen sich pfeffer und salz ins gesicht
betasten weinend die sehenswürdigkeiten
30 und erlernen die blindenschrift

der könig soll kürzlich erklärt haben
er blicke voll zuversicht in die zukunft

HANS MAGNUS ENZENSBERGER

(1929–   )

Auf welches Sprichwort bezieht sich dieses Gedicht?

---

strebsam ambitious   **beizeiten** in plenty of time
fortschrittlich progressive, up to date   **schielen** squint
einschwärzen smuggle in   **Borwasser** boric acid   **Bindehaut** (*f.*) conjunctiva
anständig decent   **Bürger** citizen   **trauen** trust
mit Rücksicht auf die Verhältnisse in view of conditions   **streuen** strew
betasten feel (with hands)   **Sehenswürdigkeiten** sights (of a city, etc.)
Blindenschrift Braille   **kürzlich** = **vor kurzem**
Zuversicht (*f.*) = **Vertrauen** confidence   **Sprichwort** proverb